D1358106

BREVE HISTORIA DE LOS INCAS

BREVE HISTORIA DE LOS INCAS

Patricia Temoche Cortez

Colección: Breve Historia
www.brevehistoria.com

Título: Breve Historia de los incas
Autor: © Patricia Temoche Cortez

Doña Juana I de Castilla 44, 3º C, 28027 Madrid
www.nowtilus.com

Editor: Santos Rodríguez
Coordinador editorial: José Luis Torres Vitolas

Diseño y realización de cubiertas: Murray
Diseño de interior de la colección: JLTV
Maquetación: Claudia Rueda Ceppi

ISBN-13: 978-84-9763-442-7
Fecha de edición: Febrero 2008

Printed in Spain
Imprime: Estugraf Impresores S.L.
Depósito legal: M-2147-2008

Índice

1

Génesis: mitos, curacas e incas

Las aguas del río Urubamba se deslizan tranquilamente desde los deshielos de la cordillera de los Andes y van delineando en su recorrido un extenso y fértil valle que lleva su nombre. Se extiende por más de 30 kilómetros entre la región del Collao y la cálida amazonía sudamericana. Este hermoso contraste natural, a una altitud superior de los 3 mil metros, está conformado por una serie de abanicos aluviales que caracterizan el relieve de una extensa geografía conocida comúnmente como quechua. Su clima benigno, frío y seco y la fertilidad de la zona motivaron el interés de diferentes grupos o curacazgos provenientes de regiones más altas por la ocupación de estas tierras.

El valle conocido por los lugareños como Acamama, fue desde el siglo XII d.C. ocupado lentamente por una variedad de pequeñas etnias o pueblos dirigidos por sus jefes conocidos como sinchis o curacas. Estos grupos llegaron de forma pacífica desde las zonas aledañas y posiblemente de la región de Pacaritambo, dedicándose a actividades como la agricultura y ganadería y respetando sus tradiciones locales. La región fue ocupada por una primera oleada migratoria por grupos conocidos por los incas como los huallas, sahuaseras, lores y poques. Otros pueblos, llamados los advenedizos, como los copalymaitas, alcabizas y culunchimas llegaron a ocupar la zona un tiempo después.

En el caso de los huallas, la mayor parte de las investigaciones coinciden en afirmar que fue el primer grupo en llegar a concentrarse en Acamama. Sus pobladores se asentaron en el lado este del valle formando su aldea conocida como Pachatusán. Las viviendas fueron desordenadas, pequeñas y de una solo habitación y eran confundidas a la distancia con las grandes laderas agrícolas de la zona, ahora conocida como San Blas. De manera pacífica se habrían asentado simultáneamente otros grupos como los sahuaseras cuya pacarina, o lugar de origen, sería la zona de Sutijtoco, por eso también eran conocidos como los Sutijtocos ayllus y en Acamama aprovechando la zona fértil se asentaron en los laderas muy cerca de los huallas, lo que es hoy el barrio cercano al convento de origen hispano llamado Santo Domingo.

Dentro de los grupos advenedizos, o los más recientes, destacaron los ayaruchus, conocidos por los incas como los alcavizas quienes reconocieron como lugar de origen la zona de Pacarictambo en la actual provincia de Paruro. Este grupo se habría asentado en pleno valle bajo de Acamama cerca del primer convento de Santa Clara. Según los cronistas españoles de la época su aldea estuvo poblada por 30 pequeñas viviendas muy rústicas y distribuidas de manera desordenada. Algo común entre los poblados de la región. Existe la posibilidad de que los otros grupos aliados de los alcavizas como los apomaitas y colunchimas llegaran procedentes de la misma zona de Pacaritambo. Al asentarse mantuvieron una relación de parentesco y reciprocidad con los otros grupos, siendo el matrimonio entre jóvenes de diferentes etnias el mecanismo que promovió una pacífica convivencia. Algunas investigaciones importantes señalan características comunes que compartieron la mayoría de estos

Fotografía de Machu Picchu que es una de las nuevas maravillas de la Humanidad.

pueblos pre incaicos. La primera, es la denominación de sus jefes con el nombre de la propia etnia. La segunda es que las evidencias arqueológicas nos presentan a grupos que compartieron el mismo estilo cultural en su arquitectura y cerámica; y el tercero, el respeto a su pacarina o pacarisca (es decir, su lugar de origen) que para los pobladores pudo ser una montaña, lago, laguna, lugar de donde habrían salido los primeros habitantes o personajes míticos de cada etnia hacia la búsqueda de nuevas tierras para asentarse

Una etnia especial es la de los ayarmacas que, gracias a las evidencias arqueológicas e históricas, no existe dudas de su existencia en la zona. La historiadora peruana María Rostworowsky señala que la palabra ayarmaca sería la derivación de dos términos quechuas, como que ayar significa quinua silvestre y maca sería la raíz de una planta comestible muy conocida por sus propiedades medicinales. Esto nos puede llevar a pensar que el origen de este grupo se encontraría en zonas de mucha altura ya que ambas plantas crecen en las montañas altas. Lo que sí es seguro es que se asentaron tiempo después como el curacazgo más poderoso del sector sur. Este pueblo se extendió desde el valle de Vilcanota (valle alto del Urubamba) hasta la zona de Angaraes, al noroeste del Cusco. Tuvieron la capacidad política y militar de absorber a los curacazgos pequeños y establecer un régimen político más sólido. Los lugareños se establecieron en aldeas que según las versiones de épocas posteriores llegarían a dieciocho pueblos ayarmacas. Entre los principales podemos mencionar los asentamientos de Huarocondo, Ccorca, Huañinmanga, Pisac, Sacua, Maras, Surite, etc. Si uno se anima a visitar hoy la ciudad del Cusco puede encontrar vestigios monumentales de estos poblados como por ejemplo sus huacas o lugares de adoración religiosas y pequeños asentamientos.

La historia de los ayarmaca nos permite también describir una característica en el comportamiento político de las sociedades andinas, una posibilidad de jefes simultáneos. Las fuentes documentales señalaron que el curacazgo fue gobernado por dos líderes o curacas de acuerdo a la distribución de la región en dos parcialidades o sayas. Es así que la zona alta del valle fue conocida como Hanan y gobernada por el Tocay Cápac y la parte baja conocida como Urin, liderada por el Pinagua Cápac. Si bien eran dos sectores complementarios, la región alta de los ayarmacas gozó de mayor prestigio, poder y representación.

Imponente imagen del fértil
y próspero Valle Sagrado.

Los ayarmacas alcanzaron en sí un mayor desarrollo administrativo, político y económico a través de una mayor ocupación geográfica, mejor distribución de sus recursos, un comportamiento religioso muy definido. Además se convirtieron en el grupo más poderoso y protector de las pequeñas etnias antes ya mencionadas. Se vivió durante décadas una época de tranquilidad política que se vio interrumpida con la llegada de un nuevo grupo extranjero, los Ayar.

Entre el mito y la historia

Una interrogante que ha acompañado a las sociedades desde su formación fue la necesidad de explicar su procedencia e identificarse religiosamente con ella. Es así que surgen grandes historias que acompañan al origen de los pueblos, con una mezcla de tradición y fantasía de la que no es ajena un trasfondo verídico.

De la ventana central del cerro Tambotoco, que significa "casa de las tres ventanas" cerca al poblado de Pararictambo, salieron los cuatro hermanos Ayar con sus esposas y ayllus. Fueron guiados por el grande Ticci Viracocha hacia la búsqueda de fértiles tierras nuevas. Estos hermanos eran llamados Ayar Manco, Ayar Cachi, Ayar Auca y Ayar Uchu. Ellos, acompañados de otros grupos vecinos, como los mascas y tambos, iniciaron un viaje de sur a norte. En el trayecto decidieron descansar en diferentes parajes y experimentaron varias aventuras. Una de las primeras paradas fue en Tamboquirro. Allí decidieron asentarse por un largo periodo. Se dedicaron a sembrar semillas de maíz y patata; además, ese lugar fue escenario del nacimiento del primogénito de Manco Cápac (o Ayar Manco) y Mama Ocllo. Sin embargo, no todo fue paz y felicidad porque surgieron discrepancias entre los hermanos, sobre todo, contra Ayar Cachi. En una siguiente parada —conocida después como Haysquirro—, los hermanos le tendieron una trampa. El temor y la envidia hacia Ayar Cachi se debía a que este tenía poderes mágicos que le permitía derrumbar cerros, formar quebradas y vencer a los pueblos que aparecían y pretendían consolidarse. Lograba derrotarlos con un solo tiro de su honda. Para llevar a cabo su plan, los demás le pidieron que regresara acompañado de uno de los sirvientes a Tambotoco con la finalidad de recoger unas vasijas. Estando ya en el lugar, el sirviente con una gran roca cerró la cueva en la que estaba Ayar Cachi (antepasado sal). Él, desesperado, provocó un derrumbe y quedó allí para siempre. Enterados de lo ocurrido, el resto continuó con su larga caminata. Llegaron a una montaña muy alta y desde arriba pudieron observar un valle muy fértil. Ayar Uchu (antepasado ají) se apresuró para llegar primero y quedó transformado en una piedra, siendo esta y la montaña conocidas desde ese momento como Huanacaure. Cuando los caminantes estuvieron muy cerca del valle, en Matagua, no se sabe si fue Manco Cápac o Mama Huaco quién arrojó dos cañas doradas hacia el valle con la intención de establecer el lugar de fundación. La primera cayó en un territorio no fértil. La segunda quedó profundamente incrustada en la zona de Huaynapata. En ese lugar es en el que Manco Cápac le pide a Ayar Auca (antepasado guerrero) que llegue primero y se asiente. El hermano obedece presuroso y se convierte en ave. Estando ya en el lugar se transforma en una piedra, símbolo de la presencia de los Ayar. Es así como Manco Cápac llega con las mujeres y ayllus al valle donde se enfrentan a diferentes pueblos siendo Mama Huaco un gran apoyo, ya que ella sola podía vencer y matar a varios enemigos. Cuentan que con un solo abrazo era capaz de romper las costillas de cualquier hombre. A

Imagen de atardecer en el lago Titicaca.
Según uno de los mitos más conocidos,
Manco Cápac y Mama Ocllo, hijos del sol,
salieron de este lago para fundar la cultura inca
allí donde la varilla de oro se hundiese

partir de ese momento los incas bautizaron la región como Cusco.

Este mito andino que narra la llegada de los primeros descendientes de los incas a la zona del Cusco sirvió de referencia para trabajos etnohistóricos que han buscado explicar los orígenes del estado incaico. El arduo trabajo de historiadores, arqueólogos y lingüistas nos remonta a la región del Collao, escenario durante el siglo XII de invasiones y disputas. Los grandes cambios climáticos que sufrieron los Andes y las luchas por la posesión de nuevos recursos naturales motivaron grandes salidas migratorias.

Campesinos taipacalas de la región aymara de habla puquina y sobrevivientes del desaparecido estado Tiahuanaco soportaron la llegada de migrantes del sur —posiblemente de la región de Atacama que buscaban nuevas tierras fértiles—. Estas revueltas provocaron la retirada por oleadas de ayllus taipicalas de la parcialidad Urin con dirección al norte andino y siempre dirigidos por sus curacas locales, sobre todo, Apo Tambo. En el camino muy cerca al Cusco se unieron otras etnias como los mascas y tambos que durante el viaje fueron distribuidos por Manco Cápac en grupos de diez ayllus. Estas etnias además de los Ayar practicaron por mucho tiempo el mismo ritual simbólico de diferenciación que consistía en perforar y deformarse las orejas, lo que nos hace suponer que nos encontramos con distintas oleadas de grupos aymaras.

El descanso por temporadas en diferentes parajes les permitió dedicarse a faenas agrícolas y ganaderas, así como la construcción de pequeños asentamientos urbanos. Algunos de ellos serían los asentamientos con componentes incaicos iniciales, Mauka Llacta y Puma Orco en la zona de Paruro, actual departamento de Cusco. Una cuestión interesante es que varios arqueólogos —entre ellos Brian Bauer— creen haber encontrado allí la cueva de las Tres Ventanas de Tambotoco y el lugar de nacimiento del personaje principal: Manco Cápac. Lo que sí es un hecho es que fueron las constantes luchas y alianzas ocurridas a finales del siglo XIII d.C. entre el pueblo invasor puquina y los grupos asentados desde hacía tiempo. Fue así como los huallas y sahuaseras fueron los primeros en ser vencidos por los migrantes. Otros como los alcavizas aceptaron a través de la entrega de tierras la nueva convivencia. En cambio, los temibles ayarmacas líderes de los grupos anteriores, mantuvieron resistencia y poderío en la vasta región. La enemistad se prolongó hasta los gobiernos de Pachacútec y Túpac Yupanqui. Finalmente, el mito señala la llegada al Cusco de dos hermanos varones Manco Cápac y Ayar Auca que puede ser interpretado con la relación del gobierno dual o diarquía que caracteriza a las sociedades andinas prehispánicas que es una situación política distinta a la de las sociedades occidentales u europeas donde el poder monárquico fue concentrado en un solo soberano. Este aspecto lo volveremos a retomar después.

Luego de fundado el Cusco, aproximadamente en el año 1280 d.C., Manco Cápac, conocido como el Hijo del Sol, organizó la nueva ciudad a través de la edificación de cuatro canchas. Estos barrios llamados Chumbicancha, Quinticancha, Saricancha y Yarambuycancha estuvieron distribuidos entre las márgenes de los ríos Tullumayo y Huatanay. Se inició además la construcción de un templo con un diseño rústico dedicado al culto del sol y conocido desde entonces como Inticancha. Manco Cápac, y en un futuro los otros curacas, decidieron residir en este templo solar. Los otros ayllus mascas y tambos aprovechando la suerte de los Ayar decidieron asentarse en los bordes de la llacta cusqueña ocupándose de labores agrícolas y ganaderas. Con el tiempo estos grupos mantuvieron sus derechos y beneficios y fueron llamados por los españoles como los "incas de privilegio".

Existe poca información sobre otras acciones realizadas por el gobernante, aunque podemos sospechar que luego de ocupada la ciudad se vivió un ambiente de tranquilidad entre los ahora cusqueños y los otros pueblos incluidos los ayarmacas.

No existen evidencias arqueológicas de construcciones militares iniciales. Los hallazgos encontrados en la actual ciudad del Cusco hablan de construcciones de carácter religioso y residencial. El hallazgo de utensilios domésticos y religiosos evidencia la presencia de un estilo ceramista compartido por las etnias locales. Nos referimos al estilo ceramista Quillque.

Los documentos describen una tradición aymara llevada al valle cusqueño. Manco Cápac siempre estuvo acompañado de un cuchillo de oro en forma de ave escondido entre sus pertenencias. Este ídolo era conocido como huaoque. Se cree que muchas de las decisiones tomadas por el gobernante ocurrieron después de una larga y profunda conversación con su quieto amigo. ¿Estamos hablando de una posible práctica de dualidad simbólica en la política del primer gobernante? Existen muchas posibilidades en afirmar que Manco Cápac fue un personaje real y que inició un nuevo linaje dinástico dentro del Cusco. Esta sucesión sería continuada por otros curacas o sinchis que establecieron estrategias como medio de sobre vivencia como fueron las alianzas matrimoniales y las invasiones simbólicas.

Los primeros gobernantes

Cuando los españoles llegaron a la ciudad del Cusco en 1534 les llamó la atención la presencia aún de grupos de individuos que se presentaban como descendientes de una larga lista de gobernantes y reclamaban para ellos ciertos derechos. Esta agrupación llamada panaca incluyó al gobernante principal y su familia, es decir la esposa principal o Coya, las esposas secundarias o llamadas concubinas, hijos y quizá algunos hermanos. Los hijos varones del gobernante se les conocía comúnmente como auquis y las mujeres nacidas de la relación con la esposa principal eran conocidas también como coyas. Algunos sostienen que las hijas nacidas de la relación con las esposas secundarias podían ser llamadas ñustas. Cada familia gozaba de manera perpetua de ciertos derechos como la posesión de sirvientes o yanas, así como las mejores tierras dedicadas a la agricultura. A inicios de la ocupación de los Ayar, el sucesor del curaca cusqueño pudo ser un hermano o hijo de mayor confianza para luego imponerse como costumbre la sucesión de padre a hijo. Este joven no era contado dentro de la panaca porque se esperaba que formase su propia familia cuando asumiese el cargo.

Una gran interrogante para la historia de los Andes sigue siendo la cantidad de panacas que pudo gobernar el Cusco. Los cronistas de los siglos XVI y XVII nos dejaron historias fascinantes de familias cusqueñas cuyos líderes formarían por siglos una sucesión dinástica lineal. Era un intento de los historiadores de la época de asemejar la organización política andina con su mundo occidental. No podemos estar muy seguros. Las investigaciones actuales nos presentan nuevas posibilidades. Por un lado se sabe que muchos gobernantes cusqueños exigieron eliminar de la memoria colectiva a algunos antecesores y a sus familias que representaron la vergüenza del Estado o quizá la envidia de ellos. Además, el concepto de complementariedad andina, que ya se ha mencionado antes, nos hace sospechar de gobiernos simultáneos de dos o tres líderes a la vez. Dejaremos de lado la confrontación de fuentes y describiremos los principales gobiernos cuya información quedó guardada y segura para todos nosotros.

Manco Cápac

Inició la sucesión dinástica Urin a través de la formación de la primera panaca conocida como Chima. Muchos cusqueños hacían honor de pertenecer a este primer linaje durante siglos. Según documentos coloniales de 1572 cusqueños como Diego Checo y Juan Guargua Chima reclamaron sus derechos como familiares directos del fundador del Cusco. Ahora, hemos señalado anteriormente que lo Hanan en la cosmovisión andina gozaba de ciertos privilegios, ¿por qué el curaca era representante de un sector reconocido como inferior? Podemos suponer que la salida del Collao por parte de este grupo estuvo liderada por curacas Urin. ¿Tradición y respeto a sus antepasados?

Continuó en la sucesión su hijo Sinchi Roca —que según el mito nació en la zona de Tamboquirro—. Posiblemente perteneció a la etnia Masca y fue criado según las costumbres y rituales aymaras. Durante la travesía hacia el Cusco y cuando aún era adolescente tuvo que rendir la prueba del Huarachicuy. Consistía en un ritual físico que permitía reconocer en los jóvenes sus habilidades físicas y su capacidad para situaciones de guerra. En el caso del primogénito de Manco Cápac se buscó comprobar su capacidad para ser el continuador en el gobierno.

Felipe Guamán Poma de Ayala
(nacido aproximadamente entre 1530 y 1550)
fue un indio yarovilca que escribió *Nueva Crónica y Buen Gobierno* en donde plasmó costumbres, vestimentas e imagénes sobre la cultura inca y sobre la colonia. Muchos de sus dibujos por su valor etnohistórico se reproducen en este libro.

Sinchi Roca

Al convertirse en el siguiente líder tuvo que enfrentar una difícil situación. El curacazgo que había heredado era pequeño e indefenso frente al tamaño y poderío militar de otros grupos vecinos. Es por ello que fomentó una alianza matrimonial como estrategia de pacificación. Se casó con Mama Coca, hija del gobernante del curacazgo de Sañoc. Aseguró así la paz entre su pueblo y el de su suegro. Además se congratuló con otros sinchis a través de la entrega de presentes como joyas, textiles, etc. Si bien este sistema de alianzas favoreció por años la permanencia del diminuto curacazgo cusqueño, condicionó a sus primeros gobernantes a un sometimiento frente a los curacas de los pueblos más cercanos.

Los documentos escritos sobre el y que, por suerte, se mantienen hasta la fecha, lo describen como un personaje prudente y valiente que tuvo que enfrentarse a grupos vecinos como los huancarama y andahuaylas pero que no tuvo interés de sobrepasar los límites de la región cusqueña. Esta opción de no crecer más allá de los propios límites fue algo muy común entre los primeros gobernantes. El cronista yarovilca Guamán Po-

SEGVNDO INGA ,GA

CINCHEROCA

ma de Ayala que escribió *Nueva Crónica y Buen Gobierno*, señaló que su curacazgo ocupó desde Jaquijahuana (en Anta) hasta Quiquijana (al sur de Urcos). Promovió acciones de tipo urbanístico como la remodelación de la llacta o ciudad del Cusco y la ampliación del templo del Coricancha. Además se instituyó el matrimonio monogámico en el común de las parejas del pueblo y se incluyó la fiesta del Huarachicuy entre los jóvenes de la nobleza cusqueña. Sinchi Roca tuvo como huaoque a un ídolo en forma de serpiente que lo acompañó en su vida terrenal y futura. Sus descendientes formaron la Raura panaca. Cuando murió, aproximadamente en el año 1320 d.C., sus familiares custodiaron el cuerpo dentro del templo de Coricancha. Era continuamente visitado e interrogado por sus descendientes y por el nuevo gobernante cusqueño. Después de todo, y como se verá más adelante, según las costumbres de la época, Sinchi Roca no había muerto, solamente había pasado a una mejor vida.

LLOQUE YUPANQUI

Las crónicas lo señan como el siguiente líder y el primer jefe nacido en el mismo Cusco, requisito en la selección de los futuros gobernantes. Este joven no era el primogénito, pero su capacidad y habilidades personales eran respetados para su designación como sucesor. Los historiadores lo califican como mejor político o estratega que guerrero. Esto se evidenció a través de la cantidad de alianzas políticas basadas en un fuerte parentesco que desarrolló con los curacas pinahuas, huaros, ayarcachis ayarmacas, así como su matrimonio tardío pero necesario con Mama Cahua que según los documentos era una bella mujer hija del curaca de Oma y cuyo enlace se celebró durante cuatro días. Sin embargo, la alianza con los ayarmacas se vio debilitada lo que obligó el ejército de Lloque Yupanqui ocupar el territorio Maras perteneciente al curacazgo vencido y posesionarse de algunos bienes como botines de guerra. No debe olvidarse que las alianzas políticas y las ocupaciones territoriales ocurrieron en los límites de la ciudad del Cusco. En lo administrativo es recordado por ser el primer gobernante en establecer un ejército formal, así como por haber continuado con la remodelación de la llacta o ciudad del Cusco y la ampliación del templo del Inticancha. Fundó la Auani panaca y a su muerte recibió homenajes muy solemnes que incluyó algunos sacrificios humanos. Estaríamos ante la presencia de una práctica que un siglo después sería institucionalizada: la famosa ceremonia de Capacocha.

Mayta Cápac

El sucesor de Lloque Yupanqui fue su pequeño hijo Mayta Cápac, lo que obligó a los consejeros del curacazgo a seleccionar dos regentes entre los familiares más cercanos hasta que el joven alcanzase una edad madura para el gobierno. Esta coyuntura política fue aprovechada por los jefes de otros grupos como los collas, chuchitos, chichas, que alcanzaron mayor poder y control de sus tierras. Mayta Cápac se convirtió en el favorito de los cronistas españoles que recrearon diversas historias fantasiosas sobre su vida. El cronista español Sarmiento de Gamboa fue uno de ellos. Entre las tantas historias escribió para el asombro de muchos fue que el Inca al momento de su nacimiento salió caminando y que ya poseía la dentadura completa. Dice el cronista que llamaba la atención por su enorme tamaño y peso, y que a la edad de un año parecía un niño de ocho. Además, cuenta, era tan travieso que ganó a unos guardias y soltó a un ave que perteneció a su abuelo Manco Cápac. Este animal conversaba siempre con él y muy agradecido por su libertad, le prometió que tendría un gobierno victorioso y próspero.

Una anécdota real —y muy comentada por los cronistas— señala que siendo adolescente durante un juego físico fracturó la pierna del hijo del curaca alcaviza. Este accidente fue utilizado como pretexto por este curaca para deshacerse de él. Asegurando sentirse muy ofendido el curaca envió diez soldados al Inticancha con la intención de eliminar al todavía joven Mayta Cápac. No sabían que la fuerza descomunal del adolescente provocaría dos muertos y dos heridos, y que además forzaría a huir al resto de los atacantes.

Esta situación generó una arremetida final contra los atrevidos alcavizas que culminó con la dominación cusqueña y el encarcelamiento perpetuo del jefe vencido. La victoria sobre este grupo permitió a Mayta Cápac ser respetado por los curacas vecinos a través de la entrega de dones o regalos.

Cabe mencionar que Mayta Cápac es considerado, asimismo como el primer sinchi que inició una ocupación simbólica de una mayor extensión y que superaba los linderos de la ciudad cusqueña.

Además de su labor militar se comenta que se preocupó por promover en su territorio el culto hacia el sol y Viracocha, lo que obligó a iniciar una persecución de otros ídolos de los pueblos enemigos. Muchos gobernantes cusqueños posteriormente se apoderaron de los ídolos de los pueblos vencidos como estrategia política y religiosa. Mayta Cápac se casó con Mama Tacuray, hija del curaca de los collaguas (etnia ubicada al este del Cusco) fundando la Uscamayta Ayllu panaca. No le sucedió su primer hijo Conde Mayta que según lo comentado por algunos documentos de la Colonia no gozó del respeto y aprecio de su padre. Un comentario benévolo —y algo más realista a lo escrito por el cronista Sarmiento de Gamboa— sostuvo que el joven fue desheredado por ser físicamente feo y defectuoso. En realidad no fue así. Lo que en verdad estaba sucediendo es que había un problema. Uno mayúsculo en realidad. Sucedía que con el fin de tener alianzas políticas sólidas, los últimos curacas cusqueños desposaron mujeres de distintos pueblos. Así, cada esposa deseaba evidentemente que su hijo fuese el continuador de la etnia cusqueña. Es por esta razón que la selección de un sucesor a menudo se vio envuelta de intrigas, mentiras y asesinatos provocados por las mismas esposas y sus parientes cercanos. En ese sentido, el futuro sinchi además de ser el más hábil como político y guerrero, debía tener también el respeto y confianza de los parientes y allegados del gobernante. Solo de esa manera podía evitar cualquier ardid o complot en contra suya. ¿Cuántos niños sufrieron secuestros o fueron asesinados antes de ser escogidos como posibles sucesores del padre? Imposible saberlo. Estos testimonios, por obvias razones, fueron omitidos y evitados al trasmitir la historia oficial cusqueña.

CÁPAC YUPANQUI

Continuó con la política de alianzas y ocupaciones militares simbólicas. Una de sus primeras acciones fue hacer jurar lealtad a sus hermanos y allegados cercanos lo que le permitió asegurarse la mascapaycha (borla que simbolizaba el poder y puede ser considerada casi como la corona, aunque debe decirse que esta comparación aunque inexacta, es solo para dar una idea de su importancia y lo que representaba). Sus acciones militares estuvieron dirigidas hacia la región del este, después conocido como Antisuyu, logrando sojuzgar a los cuyomarcas y ancasmarcas. Estos pueblos no aceptaron alianzas políticas con los cusqueños, por lo que los vencedores se apoderaron de sus recursos naturales como un mecanismo de sometimiento.

Otro grupo, los condesuyos temerosos de ser conquistados decidieron atacar por sorpresa a las huestes del soberano, pero para mala fortuna de ellos Cápac Yupanqui se enteró y arremetió hacia el enemigo. Esto le permitió vencerlos en las batallas conocidas como Marca y Huanacauri que dejó un saldo de seis mil condesuyos muertos.

Algunos cronistas señalan que su ejército luchó contra los soras, aimaraes, parinacochas, etc. Se estaban convirtiendo en los grandes guerreros de los andes sureños. Como sostiene el historiador José Antonio del Busto, estas acciones tuvieron como finalidad explorar, sojuzgar e imponer cupos o beneficios a favor de los cusqueños. Sin embargo, por lo anotado antes, los condesuyos se convirtieron en los verdaderos enemigos del gobernante.

Cápac Yupanqui, residió al igual que sus antecesores en el templo del Inticancha y entre sus acciones políticas estuvo la consolidación de las costumbres quechuas. Recibió en la ciudad a comitivas en representación de jefes vecinos que ofrecían donativos como animales exóticos, semillas, plumerías para la mascaypacha, etc. Una visita especial fue la de los representantes del curacazgo de los chancas, grupo que se localizaba al sur oeste de la ciudad cusqueña y que era conocido por sus grandes ambiciones expansionistas. ¿Fueron visitas de buena fe o un acto de espionaje?

Cápac Yupanqui aceptó con agrado desposar a distintas mujeres como símbolo de alianza. Una de las primeras fue Chimbo Mama que era recordada por haber sufrido de extraños males. En realidad, tenía ataques de epilepsia. Otra esposa conocida fue Curihilpay, hija del curaca de los ayarmacas. Como ya se dijo antes, esta tendencia a casarse con mujeres con fines políticos traía consigo graves problemas. Aquí sucedió lo mismo. Una de las esposas, Cusi Chimbo en complicidad con el sector político de los Hanan cusqueños envenenaron a Cápac Yupanqui. Este grupo —los Hanan cusqueños— residía en las partes altas de la ciudad a diferencia de los Urin que vivían en el valle. Ocurrida la muerte del gobernante, los dirigentes Hanan liderados por el joven Inca Roca invadieron el Inticancha logrando derrotar a los allegados al grupo Urin. Victoriosos al fin nombraron como nuevo gobernante a Inca Roca.

Los primeros incas

Aunque a los anteriores gobernantes se les suele llamar incas, en realidad, como se ha visto, no lo son realmente. Este término, "inca", recién empieza a utilizarse luego de la victoria de los Hanan cusqueños y la caída de los Urin.

En la actualidad existe muy poca información documental que explique las causas reales del debilitamiento de la dinastía Urin y su caída.

Como es de esperarse, con el inicio de una nueva Dinastía empiezan varias reformas y cambios políticos entre los dirigentes y su relación con el Cusco. Una cuestión interesante es que los nuevos gobernantes son conocidos por sus allegados como "ingas", expresión de origen aymara que al castellanizarse quedó como "inca". Además cada líder político mandó a edificar en las partes altas del valle cusqueño su residencia como morada perpetua de él y su familia.

INCA ROCA

Inició una nueva etapa dinástica en la primera década del siglo XIV d.C., sin embargo desde el comienzo de su gobierno debió contrarrestar pequeñas pero abundantes rebeliones de grupos o ayllus que aprovecharon el caos político después de la muerte de Cápac Yupanqui. Entre los grupos rebeldes se encontraban los mascas de la parcialidad Urin cusqueña cuyo líder Guasi Guaca fue capturado y paseado como rehén por las calles de la ciudad. También estaban allí para luchar los condesuyos (eternos enemigos) así como los mohinas, pinaguas, cartomarcas, etc. Todos ellos fueron vencidos finalmente por las excelentes huestes del nuevo gobernante.

Esta situación de inestabilidad también quiso ser aprovechada por los Chancas considerados por sus grupos vecinos como el curacazgo más belicoso de la región andina. Invadieron el territorio de Andahuaylas, región que actuaba como aliada de los gobernantes cusqueños. Inca Roca con el apoyo militar de los grupos canas y canchis, organizó una expedición hacia el río Apurímac lo que le permitió atacar de sorpresa a los invasores y obligarlos a retirarse de la región invadida.

Aparte de estos enfrentamientos bélicos, continuó la remodelación de la llacta o ciudad del Cusco que incluyó la construcción del Yachay wasi que era centro donde se educaban los jóvenes de la nobleza cusqueña y provinciana. Asimismo, bajo su mandato, se aprovechó las aguas subterráneas de la ciudad y se construyeron canales que abastecieron de agua limpia a los cuatro barrios cusqueños.

Inca Roca residió con su familia en el templo llamado Cora Cora cuya construcción sirvió de cimiento dos siglos después para la edificación del Palacio Arzobispal de la ciudad del Cusco

Se casó con Mama Micay hija del curaca de los Huayllacanes dando inicio a la Huicaquirau panaca. Esta situación generó uno de los conflictos más narrados por los cronistas de la época posterior. La joven Mama Micay había sido prometida del curaca Ayarmaca conocido como Tocay Cápac que enterado de lo ocurrido decidió vengarse declarando la guerra al pueblo Huayllacán. Después de un tiempo de rencillas se estableció la paz entre ambos grupos con la condición de que el hijo mayor del Inca fuese entregado a los ayarmacas.

Totalmente ajeno a estos pactos, Titu Cusi Huallpa creyó inocentemente en la invitación

Imagen que refleja las costumbres funerarias de los incas. Aquí se puede apreciar la presencia de los orejones.

En la calle Hatum Rumiyoq ("De la Roca Mayor") se encontraba el palacio de Inca Roca, que actualmente pertenece al Palacio Arzobispal. Esta calle va desde la Plaza de Mayor hasta el barrio de San Blas donde se puede apreciar la famosa piedra de los doce ángulos (ver páginas 246-247).

para visitar el curacazgo de sus abuelos maternos y pronto cayó detenido por los soldados de ambos bandos. Después, preso, lo presentaron ante el despechado Tocay Cápac quien ordenó su muerte inmediata. Pero esto no ocurrió porque, según cuentan los documentos, el niño al enterarse de lo ocurrido empezó a llorar sangre. Esto sensibilizó a los soldados quienes decidieron perdonarle la vida. El niño quedó como rehén y fue enviado a la región de los Anta, uno de los pueblos del curacazgo. Pasado más de un año, la esposa del despechado Tocay Cápac se encariñó con el solitario niño y apoyada por su familia decide darle libertad y lo entrega a los cusqueños.

YAHUAR HUACAC

Tiempo después el adulto Titu Cusi Huallpa recibió la mascaypacha como expresión de autoridad y al tomar el mando cambió su nombre por Yahuar Huacac, cuya traducción aproximada es "el que llora sangre". Después de tantos siglos, se sospecha que el joven sufrió en realidad de una fuerte conjuntivitis.

Las acciones militares de su gobierno se iniciaron con una revancha personal. Yahuar Huacac no había olvidado la actitud de los

Huayllacanes que lo secuestraron y casi mataron. Es por eso que realizó una emboscada y atacó los poblados de la etnia. Fue tanto el pedido y sollozo de perdón por parte del curaca rendido que el nuevo Inca decidió perdonar la vida a él y a su pueblo. Además el gobernante cusqueño era consciente que en sus venas corría sangre huayllacán. Regresó al Cusco orgulloso, convencido que nunca más tendría problemas con el pueblo de su madre.

Existen pocas evidencias para asegurar los territorios ocupados durante su gobierno. A pesar de todo, los documentos señalaron que en sus primeros años de poder buscó apaciguar a los mismos grupos rebeldes que debió enfrentar su padre. Los mohinas, piraguas, etc. ¿Por qué la rebeldía de los mismos grupos? Los historiadores sostienen que cada cambio de mando ocurrido en el Cusco era aprovechado por los grupos sometidos para buscar su separación. Es por ello que los cusqueños vivieron una guerra civil a cada ascenso de un nuevo Inca. Sus acciones administrativas se relacionaban siempre con el mejoramiento de la ciudad del Cusco. Y con Yahuar Huacac no fue la excepción. Se continuó con la remodelación del templo Inticancha, además se inició la construcción de cárceles para rebeldes o personas de mal vivir, Arahuay, Huimpilla,

Sansacancha. Él fue uno de los primeros gobernantes que entregó tierras a dioses importantes como el sol, la luna, el trueno, la lluvia que serían trabajadas por servidores provenientes de tierras ocupadas. Aquí la interrogante es: ¿y tierras para Viracocha? No hubo. Se consideró que un dios tan importante, que remodeló el mundo, no se contentaría con la entrega de tierras. Según la creencia popular, Viracocha tenía todo.

Si bien existe poca información sobre este Inca no podemos negar que la desgracia siguió rondando su vida. Uno de sus hijos más queridos fue asesinado. Fueron los huayllacanes. Sí, el mismo grupo que lo secuestró de niño ahora por venganza política asesinó al futuro sucesor.

Cabe decir que para así como la infancia de Yahuar Huacac estuvo marcada por emboscadas y traiciones, su final fue similar. Él había planeado una expedición hacia la región del Altiplano. Estaba enterado de la enorme cantidad de población de los collas y vio con agrado la ocupación y alianza con sus curacas. Durante la fiesta de inicio de la expedición ocurrió algo inesperado. El cronista Cieza de León nos ayuda a describir este momento. La fiesta era enorme, habían llegado personas provenientes de distintos lugares a visitar y congratularse con los cusqueños. Los banquetes y la abundante bebida provocaron un desenfreno tal que hasta el Inca estaba más que entusiasmado. Entre los presentes se encontraron los condesuyos, ese eterno grupo rebelde que provocó varios dolores de cabeza a los incas. Cuando la fiesta estaba en su mejor momento, uno de los soldados condesuyos se acercó a la comitiva, sacó una porra y con fuerza golpeó al gobernante. Yahuar Huacac, herido y mareado por el golpe, se levantó y le dijo: ¿qué hiciste, traidor? No pasaron unos segundos y recibió una estocada final. El Inca había muerto.

Los habitantes del Cusco que presenciaron el asesinato de su gobernante entraron en pánico colectivo. Corrieron despavoridos. Sin embargo la suerte para ellos estaba echada. Los condesuyos no tuvieron piedad y mataron a hombres, mujeres y niños. En esos momentos Cusco quedó en oscuras y empezó una lluvia torrencial. Los sangrientos asesinos decidieron retirarse de la ciudad que se sentía herida y traumada. Lograron cumplir su promesa. A los pocos días la noticia era conocida por los pueblos vecinos. Enterados los Chancas del triste final de Yahuar Huacac decidieron aprovechar la situación y recuperar de manera rápida la región de Andahuylas.

Este territorio había gozado por años del auxilio de las fuerzas cusqueñas. No hubo resistencia y Andahuaylas cedió al poder del invasor. Mientras los Chancas celebraban su nueva incursión, en el Cusco la situación que se vivía era distinta.

No había sucesor. Los orejones discutieron día tras día qué individuo podía asumir el cargo en un momento tan difícil. El pueblo se encontraba confuso y no salía de la angustia de haber sido atacado en su propio territorio. Después de tantas conversaciones, dudas y enfrentamientos, los orejones recurrieron al joven Jatun Topac, representante de la dinastía Hanan. El muchacho accedió a tan grande responsabilidad y mérito personal y es que no era hijo del Inca anterior. Durante la ceremonia en el Inticancha decidió llamarse Viracocha. Sí, adquirió el nombre del dios más importante de los incas. Estamos a inicios de una nueva etapa en la historia de los cusqueños.

Viracocha

Poco después de alcanzar la mascaypacha, accedio a casarse con Mama Runto, hija del curaca de los antas, cuyo territorio se encontraba al oeste de la ciudad cusqueña y cuya alianza era importante en momentos tan difíciles para el Cusco. No tuvo tiempo para desarrollar una labor administrativa importante o para dedicarse al embellecimiento de la ciudad capital. Lo único que se sabe es que mandó edificar otras residencias para su panaca en los territorios de Yucay y Calca. Era necesario que los cusqueños retomasen su presencia política en los territorios vecinos. Así lo entendió el gobernante y decidió organizar una campaña de subordinación de territorios anteriormente ocupados.

El primer objetivo fue recuperar su presencia política en los territorios de los pinahuas, ayarmacas, los pacaycachas y otros territorios cercanos a la ciudad. Es por ello que pidió la participación de sus hijos Inca Urco y Cusi Yupanqui, además de sus generales Apo Mayta y Vicaquirao. Luego de pasados algunos años los cusqueños pudieron apoderarse de los recursos más valiosos de estos pueblos: la energía humana. A comienzos del siglo XV, los curacazgos andinos habían extendido sus territorios y era necesaria la mano de obra que participase en labores distintas como la agricultura, ganadería, ejército, etc., fue por ello que Viracocha inició una nueva modalidad con respecto a las invasiones territoriales. Los historiadores más entusiastas consideran que a partir de este gobernante las ocupaciones territoriales dejaron de ser simbólicas y se convirtieron en acciones institucionalizadas a través de una débil pero efectiva presencia inca representada en algunas construcciones militares, caminos, depósitos, etc., además surgió la necesidad de implantar ciertos patrones cusqueños en los territorios recién ocupados. Como veremos más adelante, el consenso de los investigadores nos hace creer que en un futuro, Pachacútec generalizó esta práctica política.

Surgió un interés por los territorios del Collao. Los gobernantes anteriores a Viracocha recibieron por mucho tiempo noticias sobre dos señoríos importantes localizados a más de 3 mil metros de altura. Eran los lupacas y los collas. ¿Por qué territorios a tanta altitud provocaron interés para los cusqueños? Los documentos de la época colonial como las Crónicas y las Visitas señalaron que la región del Lago Titicaca concentró una gran cantidad de población. Estamos hablando de poblaciones de 20 mil habitantes o más.

Ambos grupos, los lupacas y los collas, formaron parte de los llamados Reinos Altiplánicos. Los grupos lupacas se localizaron en el sector sur oeste del lago, siendo su capital la ciudad de Chucuito. Su territorio estuvo dividido en dos parcialidades que concentró a cientos de familias o ayllus dedicadas a diferentes actividades. La ganadería o crianza de camélidos fue la actividad económica que concentró a la mayor parte de su población. Sin embargo, la altura, el clima y el tipo de suelo de la región perjudicó el desarrollo de una actividad tan importante como la agricultura. Es así que continuando con la tradición de los pobladores de la desaparecida cultura Tiahuanaco decidieron colonizar tierras a menor altura. De esa manera ocuparon y construyeron asentamientos urbanísticos en los valles medios y bajos de Arica, Sama, Moquegua y Arequipa. Así, los pobladores tuvieron acceso al mar y a la región amazónica. Fue una forma inteligente de obtener recursos agrícolas de diferentes espacios. El arqueólogo Jhon Murra denominó a esta colonización en 1972 como "el control vertical de los pisos ecológicos". En el caso de los Collas, su territorio se distribuyó en dos grandes sectores según el camino inca, el Urkosuyo y el Omasuyo, ambos ubicados en las riberas nororiente y sur-poniente del lago Titicaca. La acti-

Grabado que muestra un puente colgante que formaba parte de uno de los caminos incas.

vidad ganadera y una agricultura limitada a través de la colonización de tierras a menor altura caracterizaron a igual de los lupacas su economía local. A la llegada de los cusqueños, ambos grupos se encontraban en una situación de enfrentamientos de carácter político y militar por la dominación de la región del Collao.

Viracocha como estrategia política consideró conveniente unirse al curaca de los lupacas brindándole su apoyo ante el enfrentamiento con los collas. Esta situación favoreció a ambos líderes, quienes después de la victoria sobre los collas decidieron estrechar sus alianzas.

Así, la chicha fermentada se convirtió en la bebida conciliadora y presente en los grandes acontecimientos de la historia andina. Se inició una de las alianzas más fuertes y respetadas por los gobernantes cusqueños. En el Cusco, el cuidado y administración de la ciudad quedó a manos del joven e inexperto Inca Urco.

A su regreso a la ciudad, Viracocha cansado y avanzado en años, decidió que era hora de un largo descanso. Largas campañas militares, intrigas políticas e intentos de asesinato lo habían desgastado. Dos de sus hijos lo habían acompañado por temporadas en sus largos recorridos e invasiones territoriales: el muy joven y engreído Inca Urco y el valiente pero no muy querido Cusi Yupanqui. Una interrogante cruzó entonces por su mente: ¿y ahora quién me sucederá?

2

El Tahuantinsuyu

A inicios del siglo XV la historia de los Andes presentó serios cambios que se reflejaron en el fortalecimiento de grupos étnicos localizados de manera dispersa por la región costeña y andina del actual Perú. Muchos de estos grupos fueron los sobrevivientes de sociedades regionales que se extinguieron o se incorporaron a nuevos desarrollos locales. Fueron los llamados Señoríos. Los chimú localizados en el norte costeño, los chinchanos en la costa central, los huancas en la región central andina y los lupacas en el sector sudeste andino son considerados por los investigadores como parte de las civilizaciones regionales de mayor dominio económico, político y religioso.

Los chancas poblaron inicialmente la región cercana al río Pampas, en el territorio conocido como Chucurpu, al oeste del actual departamento de Huancavelica. Ellos hacían llamar a la laguna Choclococha su pacarisca y regresaban a visitarla en caravanas como medio de culto y tradición. La geografía de la región determinó el comportamiento de sus pobladores. El relieve accidentado, la variedad climática, la escasez de recursos naturales influyó en el carácter aguerrido, desafiante y militarista de los pobladores Chancas.

El gobierno de Inca Roca coincidió con uno de los primeros avances territoriales de este grupo hacia el territorio de los quechuas en Andahuaylas. Por esta vez el Inca logró una victoria y provocó la retirada de los invasores. Años después, los aguerridos campesinos se asentaron y ocuparon el territorio perdido y decidieron iniciar una política de expansión territorial. La escasez de recursos y el interés por ocupar nuevas tierras exigió a sus dirigentes iniciar uno de los intentos de invasión más violentos de la época. A inicios del siglo XV el avance de los ayllus chancas se extendió a todos los curacazgos de los departamentos peruanos actuales de Ayacucho, Apurímac y

Arequipa. Entre los años 1430 a 1440 se prepararon para un avance hacia el territorio de los ayarmacas y enseguida continuar con la ocupación territorial por la región de la meseta altiplánica y así dar ocupación de los pueblos collas y lupacas. La estrategia militar consistió en la formación de tres líneas de ejército de las cuales dos se dirigieron hacia el territorio sur y la tercera hacia el Cusco.

El momento era oportuno. Viracocha había decidido descansar a su residencia cercana de Calca y confió el poder político a su hijo Inca Urco. Los orejones exigieron que sea convocado para el cargo otro de los hijos conocido como Cusi Yupanqui, pero la decisión del padre estaba tomada. Se esperaba lo peor. La inmadurez e ineptitud del joven lo llevó a dedicarse a actividades muy distintas a su labor de gobernante. No sospechó que los placeres y vicios lo acompañarían durante poco tiempo. Los chancas dirigidos por sus generales Tumay Huaraca y Astu Huaraca y acompañados de la momia de su fundador llamado Uscovilca se acercaron cada vez más a los límites de la llacta cusqueña. Solo esperaban. Esta difícil situación obligó a Viracocha e hijo tomar una decisión drástica, la cobarde fuga hacia las afueras del Cusco. La ciudad quedó huérfana de sus principales líderes políticos. Sin embargo, la historia ha demostrado que en los momentos más difíciles en la vida de los pueblos aparecen los verdaderos héroes.

El joven Cusi Yupanqui enterado de la eminente ocupación Chanca decidió regresar a la ciudad desde su destierro en la región de Sursupuquio. Llegado al Cusco es recibido con algarabía por los orejones y el pueblo que lo reclama como gobernante. Se dice que la mejor defensa es el ataque, así lo entendió e inició una ofensiva militar a través del reclutamiento obligatorio de hombres adultos. Este servicio es conocido como mita militar. Solicitó el auxilio y defensa de los curacas de los pueblos vecinos a cambio de la entrega de botines de guerra, tierras y mujeres. Lo que sea. El temor a los guerreros Chancas y la falta de confianza hacia el joven Cusi determinó el poco interés y apoyo hacia la causa. Además Viracocha que se encontraba en el territorio de Chita había establecido una sumisión ante el enviado del ejército invasor. Solo los canas y canchis decidieron participar como aliados.

Claro, estos grupos aventureros que se caracterizaron por ser excelentes guerreros no dudaron de poner en prueba su capacidad militar ante los llamados bravos enemigos. Después de dos meses de espera se inició el ataque. La primera batalla fue en la misma ciudad del Cusco. Una lucha cuerpo a cuerpo enfrentó a dos pueblos que buscaron convertirse en el Señorío más importante de la región. Los invasores no esperaron una resistencia tan indomable por parte de los cusqueños. Pero estos no esperaban un ataque tan prolongado. ¿Hasta cuándo resistirían? La imaginación popular participó narrando una historia inusual.

El sacerdote principal del Inticancha desesperado por la difícil situación de su gente decidió colocar en forma de largas hileras grandes piedras unidas a armas que simulasen a la ditancia ser soldados. El dios Viracocha emocionado y orgulloso de la actitud desafiante de su sacerdote decidió participar en la contienda. Convirtió a las piedras inertes en valientes soldados que se lanzaron al ataque. Cusi Yupanqui animado avanzó con su gente hacia la ubicación del ejército enemigo y logró capturar a su ídolo Uscovilca. Solo quedó a los chancas huir y refugiarse en el territorio de Ichubamba. Las piedras quedaron impregnadas en el lugar y fueron consideradas huacas o lugares de culto conocidos como pururaucas. La alegría desbordó al pueblo cusqueño. Los jefes étnicos que observaron la contienda se rindieron ante el salvador y sus huestes victoriosas.

Cusi Yupanqui acompañado de sus principales allegados dirigió una comitiva hacia el refugio de su padre que tenía que cumplir con el ritual guerrero de victoria. Consistía en dar pisadas a los botines de guerra del pueblo vencido. El anciano gobernante desestimó la visita y exigió que Inca Urco asumiese de nuevo el control del Cusco. La difícil situación entre padre e hijo no daba para más. Cusi Yupanqui decidió regresar a la ciudad capital y asumió una posición de defensa del territorio que por derecho adquirido era suyo. Es difícil creer que exista un enfrentamiento entre hermanos pero ocurrió. El ejército de Inca Urco organizó un ataque improvisado hacia la llacta cusqueña que no prosperó. Las fuerzas de los soldados de nuestro ya maduro héroe salieron victoriosas. La muerte de su hermano menor lo entristeció por un lado pero a la vez aseguró legalidad suficiente para convertirlo en el próximo gobernante cusqueño.

Aunque fueron humillados los chancas no aceptaron la derrota y provocaron un segundo ataque que terminó con la muerte de sus principales generales Tumay Huaraca y Astu Huaraca. El futuro Inca utilizó por mucho tiempo sus cabezas como trofeo de guerra. Había sido derrotado el Señorío más temido de los andes del sur. La política de las alianzas empezó a darse de manera inversa, eran los curacas vecinos que buscaron congratularse con el Inca. A mediados del siglo XV el Cusco era respetado.

Pachacútec, el Alejandro Magno del sur

La ceremonia de ascenso al poder siempre ha sido un ritual importante en cualquier sociedad y época de la Historia. En el caso de Cusi Yupanqui la situación no fue diferente. La ciudad del Cusco participó de los preparativos para el ascenso de su nuevo Inca. Las calles fueron decoradas de manera vistosa e igualmente los techos de las casas que lucieron hermosos con plumas de aves exóticas. Llegaron niños de distintos lugares para participar en una ceremonia que se convirtió en obligatoria, la Capacocha. Los días previos la ciudad recibió a una comitiva de curacas provenientes de señoríos y curacazgos vecinos. Llegaron con una infinidad de obsequios pocas veces vistos en la ciudad. Una comitiva recibió a Viracocha que resignado tuvo que participar de la recepción. Todo estaba preparado.

Durante la ceremonia en el Inticanchi el futuro gobernante decidió que se conociera su

EL NOVENO INGA
PACHACVTI INGA
IVPANQVI

Reyno gano ... en chile y de to... das su cor de llevar
pachacuti

nuevo nombre, era Pachacútec. Existen varias traducciones, pero nos quedamos con el de "el que transforma la tierra". Ese mismo día que recibió la mascaypacha se casó con Mama Anarhuaque, mujer inteligente y valiente que era hija del señor de Choco. Las fiestas se prolongaron por varios días y participaron los sectores del Hanan y Urin cusqueño. Todos fueron observadores del nacimiento de una nueva panaca conocida como Hatun Ayllu.

La política expansionista caracterizó su gobierno. Era hora de que el avance militar actuase de manera sistematizada y la ocupación gozase de cierta legalidad política. Sin embargo es necesario hacer una aclaración oportuna. Durante los últimos años los investigadores discuten si la expansión alcanzada por el Estado cusqueño fue militarista o siguió siendo simbólica y si realmente Pachacútec alcanzó la ocupación de nuevas tierras y no manipuló la información a través de una consigna de los que manejaban los quipus y las yupanas. Trataremos de remontarnos a las fuentes más cercanas.

La ocupación territorial se inició absorbiendo los curacazgos que limitaron con la ciudad estatal. Uno de ellos fueron los ayarmacas, ese pueblo que no aceptó a Manco Cápac y luchó contra los distintos gobernantes del Cusco. El ejército inca obtuvo una fácil victoria en Huamanchama y como señal de dominación tomaron prisionero al jefe étnico principal, Tocay Cápac que soportó un encarcelamiento perpetuo. Continuaron con los pueblos localizados en Amaybamba, Vitcos y Urubambas, territorios que ahora se encuentran en la región de Cusco. El éxito seguía sonriéndolos.

La expedición se dirigió hacia el territorio sudeste que bordea las aguas del lago más alto del mundo, el Titicaca. Pachacútec confió en la habilidad de sus generales y fueron los que lideraron muchas de las campañas durante su gobierno. A la llegada de las fuerzas del general Apo Conde Mayta, el territorio altiplánico vivía un ambiente de paz y tranquilidad entre ambos Señoríos. Esta situación no convenía a los guerreros incaicos, que un momento pensaron en una campaña de ocupación violenta. Pero recordaron ¿no son nuestros grandes aliados?, es así que decidieron una nueva estrategia.

Los cusqueños decidieron asentarse en la ciudad de Chucuito, capital de los lupacas y presentaron sus ofrendas como señal de alianza pacífica. Al ser bien recibidos aceptaron los requerimientos de los curacas y establecieron una nueva reciprocidad. El ganado y la energía humana estuvieron asegurados. Fue tan importante la incorporación del pueblo Lupaca que en pocos años sus pobladores acapararon funciones como mitayos y mitimaes dedicados a faenas militares y de construcción.

Con los Collas la situación fue distinta. Este grupo liderado por su Colla Cápac decidió no aceptar la alianza que expresaba el gobernante cusqueño. Era entendible que una alianza política en el Tahuantinsuyu no beneficiaba a ambas partes. Es por ello que se enfrentaron en la batalla de Pucará donde los cusqueños salieron victoriosos. Pachacútec llegó apresurado para participar de la victoria y muy orgulloso exigió al Curaca perdedor que se sometiese a su poder. Es una de las primeras veces que los documentos describen el traslado de sirvientes o yanas de la etnia Colla hacia el Cusco.

Después de la ocupación de los territorios más cercanos dirigió una expedición militar con dirección hacia los territorios del norte. Los conoceremos como tierras del Chinchaysuyu. Era de esperar, los chancas fueron su primer objetivo. Ahora la historia era distinta, los bravos guerreros debieron defender su centro o capital de su Señorío. No pudieron. El ataque fue rápido y no encontró resistencia. Los cusqueños consideraron que era inteligente mantener como estrategia política la alianza con el Señorío vencido. En un futuro podían convertirse en aliados de guerra. Es por ello que Pachacútec cumple con el ritual y dona una pariente cercana al curaca Chanca como señal de paz y reciprocidad. Fue bien recibida. Claro hay una diferencia, ahora el gobernante Inca dona y los otros reciben. ¿Quién se sometía a quién?

La expedición continuó por dos frentes militares. Un grupo de guerreros dirigidos por su general Apo Mayta llegó hasta Huamanga y Vilcashuaman actuales territorios del departamento peruano de Ayacucho. En este último lugar se ordenó la edificación de templos dedicados al culto del sol. Son los primeros intentos de imposición de construcciones urbanísticas incas sobre territorios recién ocupados.

La expedición prosiguió con dirección hacia el valle del Mantaro. El objetivo era ahora la ocupación de los territorios del Señorío Huanca. A igual que los Chancas heredaron el pasado glorioso de unos de los estados más poderosos que ofreció la historia de los Andes: los huari. Es por ello que los huancas no aceptaron los repetidos ofrecimientos de paz y se enfrentaron a una lucha cuerpo a cuerpo que tuvo un triste final para ellos. Muchos de sus pobladores pasaron a condición de sirvientes y parte de sus tierras fueron repobladas por colonos. Esa derrota quedó guardada en la memoria colectiva de su pueblo que esperó por muchos años una revancha. Llegó mucho tiempo después con la presencia española.

Otra fuerza, la del hermano del Inca, Cápac Yupanqui, avanzó hacia el norte costeño conocido como zona yunga. Tomaron el camino de la costa y llegaron a los territorios de los Señoríos de Nasca, Chincha y Lunahuaná. No debemos olvidar la cantidad de presentes que los generales y el propio Inca entregaban a los curacas visitados. Por el oeste las exigentes fuerzas militares ocuparon el territorio de Camaná, muy cerca de la ciudad de Arequipa. Por primera vez, el avance cusqueño limitó con el Océano Pacífico

Después de cuatro años de largas y victoriosas campañas el Inca decidió regresar a la que llamaremos la capital estatal. Se internaron en la región andina llegando a Jauja y retomaron la ruta hacia Tanquihua, luego Vilcashuaman, Quinua y así llegaron finalmente al Cusco. La recepción del pueblo cusqueño fue impresionante. Otra vez las fuerzas guerreras de Pachacútec regresaban victoriosas. Era una de las primeras veces que los vecinos de la ciudad más importante del Estado pudieron observar diferentes botines de guerra que incluía semillas variadas, animales, textiles, yanaconas y jefes vencidos o premiados.

A mediados del siglo XV ¿cómo las fuerzas cusqueñas lograron tantas victorias militares?: la organización del ejército cumplió un papel importante. La política de reclutamiento a través del servicio de la mita permitió organizar diferentes grupos militares en diferentes escenarios y fronteras. Muchos grupos étnicos aportaron su experiencia en el manejo de las estrategias de guerra y el tipo de armas. El ataque por sorpresa fue la estrategia más empleada por los guerreros incaicos. Muchas victorias fueron obtenidas a través de la simulada retirada o el escondite en los flancos de las montañas. Además el tipo de arma empleada determinó la victoria. Era mortal. Utilizaron hachas, hondas, flechas. La favorita de los incaicos era una maza de piedra o de metal en forma de estrella con un mango de madera de casi un metro. ¿Sobreviviría un enemigo con semejante golpe? Era imposible y si hubiese ocurrido, malheridos eran llevados a la plaza de Aucaypata como prisioneros de guerra. Pero a los supervivientes mejor les hubiese valido morir en pleno combate, porque hechos prisioneros sufrían múltiples maltratos. Algunos guerreros eran quemados vivos, a otros ¡se los desollaba vivos! o eran descuartizados y sus cráneos empleados como vasos o keros.

Después de años de descanso, el Inca ordenó otra expedición hacia el Chinchaysuyu dirigida por su hermano Cápac Yupanqui. Fue rápida y eficiente. Se continuó por la ruta de los pueblos invadidos. La remodelación de los caminos y la construcción de almacenes o tambos permitieron un viaje menos dificultoso para los soldados reclutados. Estos asentamientos actuaron como núcleos políticos que permitió la expansión de las fuerzas militares cusqueñas. Tomaron como ruta la región de los Chancas para luego dirigirse hacia el valle del Mantaro, Yauyos, Huarochirí, Canta, Cajatambo, territorios que se localizaban en el actual departamento de Lima. Continuaron por los territorios norteños de Huamachuco, Conchucos llegando a ocupar finalmente el territorio de Moyabamba.

A finales de 1460, el gobernante decidió escoger como sucesor a su hijo Amaro Yupanquien correinó con su padre y lo acompañó en las próximas ocupaciones territoriales. Este joven demostró mucha simpatía por su carácter y don de gente, pero cuentan algunos documentos que tenía una fuerte debilidad, no había nacido para la guerra. Se le describió como una persona amante de la naturaleza y la cultura, un hombre con actitudes y visiones renacentistas pero no sucesor del gran Pachacútec. La casi pérdida del territorio de los Collas fue causada por su falta de organización militar. Es así que el Inca decidió escoger un nuevo sucesor siendo Túpac Inca Yupanqui el elegido y el continuador de las ocupaciones territoriales hacia el norte. Estamos de nuevo frente a una política de correinado donde el Inca y el sucesor asumen un fuerte liderazgo político y militar.

La cosmovisión andina interpretó el mundo a través de lo complementario. Se evidenció en el comportamiento de los vivos, muertos y seres sobre naturales. Elementos opuestos que se adaptaron uno al otro. Lo Hanan y lo Urin. Así, la vida política, económica y social de los curacazgos, provincias o regiones en el Tahuantinsuyu debió representar esta forma de dualidad. Esta separación nos hace suponer de una división en los cargos políticos y religiosos. Pachacútec pudo haber institucionalizado un gobierno de correinado. El poder compartido entre el gobernante principal y el hijo sucesor o un hermano principal. Esta dualidad nos permite considerar la posibilidad que existieron otros gobernantes cusqueños no mencionados en la historia oficial.

Planteamos una interrogante: ¿cómo hizo el Inca para mantener la dominación en los territorios dominados y sacar provecho económico de los recursos naturales y humanos obtenidos? Se inició una política administrativa que buscó desde sus inicios dar una articulación al reciente Estado del Tahuantinsuyu. Una de las primeras acciones fue la distribución de las ciudades ocupadas que fueron repartidas en cuatro regiones o suyus cuyos límites eran líneas imaginarias conocidas como ceques. Orejones cusqueños y provincianos, la mayoría de veces hijos y hermanos del gobernante, fueron seleccionados como representantes del Inca en las diferentes provincias y regiones ocupadas. Además se reguló el trabajo humano de los pueblos incorporados a través del servicio de la mita, así como la distribución de los ciudadanos de pueblos rebeldes que pasaron a convertirse en sirvientes o yanaconas. También las nuevas tierras fueron ocupadas por colonizadores a la fuerza conocidos como mitmas. De esa manera, el Estado cusqueño controló la energía humana de las nuevas poblaciones incorporadas.

La preocupación de estar enterado de los bienes de cada pueblo sometido y su posterior entrega de tributo motivó al Inca a organizar el servicio de los Quipucamayocs, personajes cultos que manejaron la contabilidad y acciones importantes del Cusco en sus cuerdas

Imagen satelital del Valle Sagrado de los incas. En la parte inferior derecha se puede apreciar la actual ciudad del Cusco.

conocidas como quipus. El Cusco fue remodelado. Era necesario la ampliación de la ciudad para lo cual se edifica nuevos barrios, canales de agua, piletas y edificios públicos. La ciudad delimita dos grandes barrios, El Hanan y el Urin Cusco, cuyas hermosos edificios fueron construidos en el sector más importante. Las panacas anteriores fueron distribuidas de acuerdo a su bario de origen. Se habló del barrio de los Urin que integró a las panacas iniciales y la del barrio de los Hanan que sirvió de residencia a las panacas desde Inca Roca. Además se remodeló el templo del Coricancha que necesitó la participación de una enorme masa humana de trabajadores. Debió ser grande el esfuerzo que hicieron para el ahora llamado Coricancha que finalizadas las obras de mejoramiento se inició una gran fiesta que se prolongó por varios días. La ciudad y capital del Estado quedó delimitada al curso de los ríos Huatanay y Tullumayo y algunos especialistas opinan que su delineado logró la forma de un felino o puma.

Después de tantas luchas, victorias y decisiones el gobernante decidió descansar. El Inca más importante de la historia del Tahuantinsuyu estaba viejo y cansado. Tenía residencias para escoger, entre ellas la de Machu Pichu. La fructífera labor de su hijo y de sus principales generales le facilitó la decisión y para los años de 1460 aproximadamente, Pachacútec entregó la mascaypacha.

Túpac Yupanqui y la hegemonía de un Estado

Existen sociedades que gracias a sus evidencias documentales permitieron un mejor conocimiento de su historia. Este no es el caso. Más aún si queremos saber sobre invasiones y ocupaciones de nuevas tierras. Para la historia andina el quipu actuó como una posible herramienta que recordaba y administraba los territorios recién incorporados y los recursos que tuviesen. Claro, existe la sospecha de que gobernantes como Pachacútec indujeron a la manipulación de estas cuerdas. A pesar de esta mala jugada para la Historia podemos saber que las acciones de Túpac Yupanqui se iniciaron antes de su ascenso al cargo de Inca. Antes de los dieciocho años el joven heredero correinó con su padre y participó de muchas de las victorias obtenidas. Estas fueron consolidadas y continuadas durante su gobierno. Trataremos sobre ellas dejando de lado cuestiones cronológicas y enfatizaremos los territorios más importantes ocupados durante su periodo de gobierno.

La expedición más impresionante fue la dirigida hacia el Chinchaysuyu. El gobernante solicitó el apoyo de sus generales más fieles y experimentados, su hermano Túpac Cápac, Anqui Yupanqui y Tilca Yupanqui. Si tomáramos un viaje desde el Cusco hacia los andes septentrionales podemos reconocer las distintas paradas y lugares que fueron tránsito de las huestes incaicas. Salieron de la ciudad y tomaron la ruta del Cápac Ñam, llegando a recorrer los territorios andinos de Anta, Vilcashuaman, Jauja, Tarma Chinchaycocha. Desde ahí se inició la penetración hacia el territorio costeño que significó para los ejércitos un enorme sacrificio físico debido a la poca costumbre de la gente de altura a un clima cálido y húmedo. El valle de Cañete despertó el interés del Inca y de sus generales. Las extensas áreas agrícolas y su cercanía al mar fueron una excelente motivación durante años para diferentes Señoríos que buscaron adueñarse de estas tierras. Pero los pobladores del lugar no pensaron igual. Es así que edificaron varios fortines o fortalezas de defensa militar. Era necesario establecer una alianza distinta o crear un complot que tome de sorpresa a sus habitantes. Así fue, la Coya que acompañaba a su esposo en las distintas expedi-

EL DECIMO INGA
TOPA INGA IV
PANQVI

ciones tuvo una idea más que genial. Mama Ocllo fue recibida por el Curaca de Lunahuaná que sin mucho reparo aceptó tenerla como huésped importante. Ella en agradecimiento le manifestó que su esposo y el ejército cusqueño rendirían un culto al mar como señal de alianza para lo cual era necesario que todos los lugareños participen en tan solemne ceremonia. A la mañana siguiente la población sacó sus pequeñas balsas y entraron a las frías aguas del mar. Los ejércitos cusqueños que estuvieron escondidos muy cerca corrieron rápidamente y se apropiaron del fortín de Ungará. Nada pudieron hacer los despistados pobladores que al darse cuenta del engaño lucharon contra los ejércitos del Inca, pero era muy, muy tarde. El fortín había sido ganado para Túpac Yupanqui. Esta zona fue bautizada un tiempo después como Huarco, palabra quechua que significa "colgado", como triste recuerdo del final que tuvieron muchos de sus pobladores.

La campaña fue una victoria. Aunque participaron en ella treinta mil soldados que llegaron y rotaron de diferentes lugares del Tahuantinsuyu. Ahora era necesario que la presencia del Estado se manifieste políticamente. La construcción de Incahuasi o "casa del Inca" cumplió ese cometido. Es inimaginable la cantidad de personas que en condición de yanas y mitayos eran trasladados de diferentes partes del Tahuantinsuyu como sirvientes y soldados para la edificación de esta ciudad conocida desde entonces como "otro Cusco" que copió el modelo urbanístico de la ciudad capital, con sus calles, plazas, templos, acllahuasis, etc.

Hacia el norte, otro Señorío despertó la inquietud del Inca. Nos referimos al estado Chimor. Considerado como el Estado más importante de la costa norte del actual Perú. Su desarrollo metalúrgico y urbanístico lo convirtieron en un territorio de respeto y admiración por los grupos vecinos. Tanto orgullo y tradición no podía ser quebrado por un Estado nuevo, sin mucha tradición y distante. Es cierto, la sociedad inca gozó de un respeto político y militarista, más no de una tradición cultural que influyese demasiado en los territorios ocupados. Los chimú orgullosos de su pasado jamás aceptarían una alianza así. Los enfrentamientos militares no se hicieron esperar. Fueron varias las batallas que decidieron al ejército ganador. Es de suponer quiénes ganaron. Los cusqueños se apoderaron de la fortaleza de Pacatnamú. Casi todo estaba perdido para los chimús. Pero repito, tanta tradición no podía terminar de esta manera. Menos mal que lo entendieron los cusqueños y permitieron

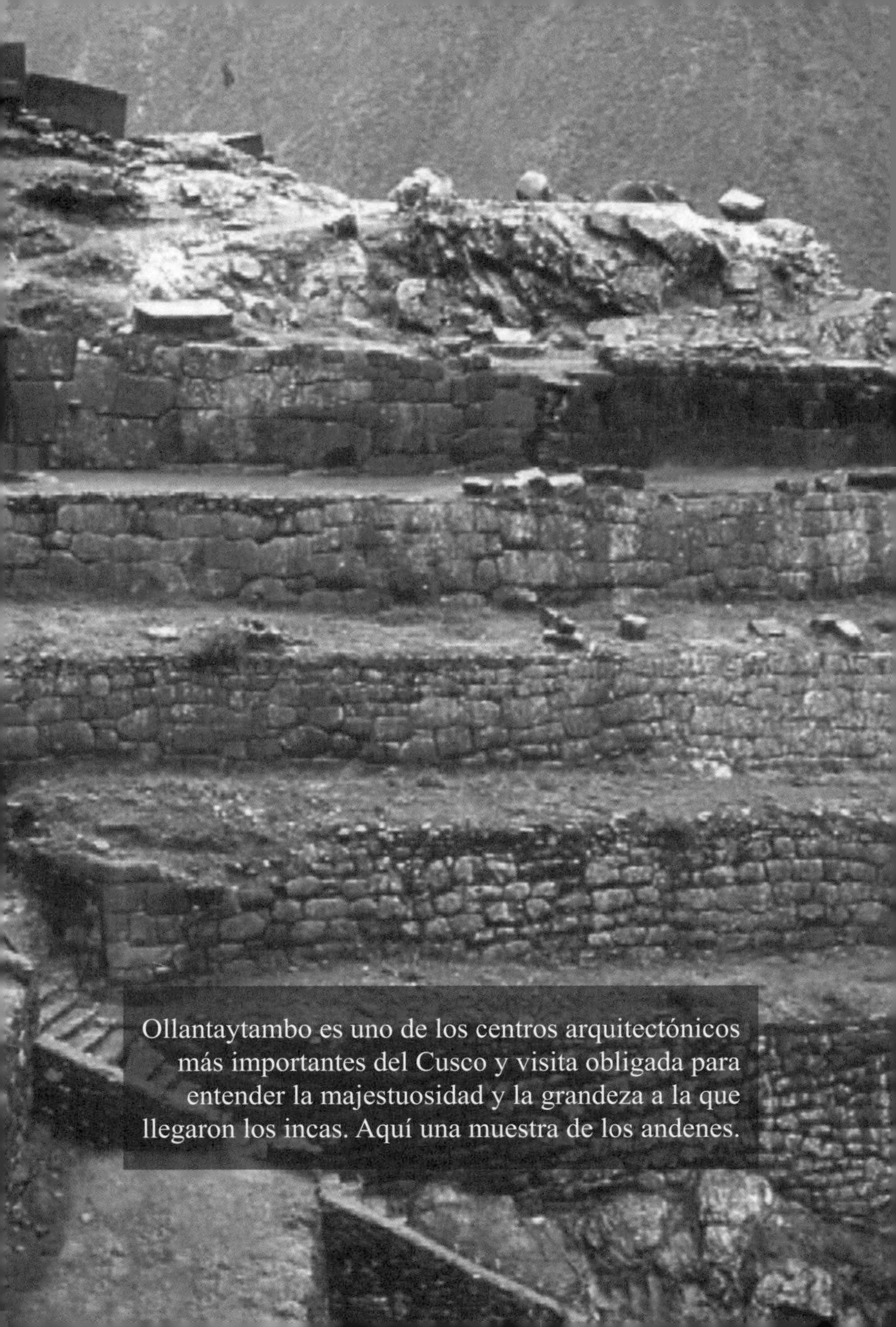

Ollantaytambo es uno de los centros arquitectónicos más importantes del Cusco y visita obligada para entender la majestuosidad y la grandeza a la que llegaron los incas. Aquí una muestra de los andenes.

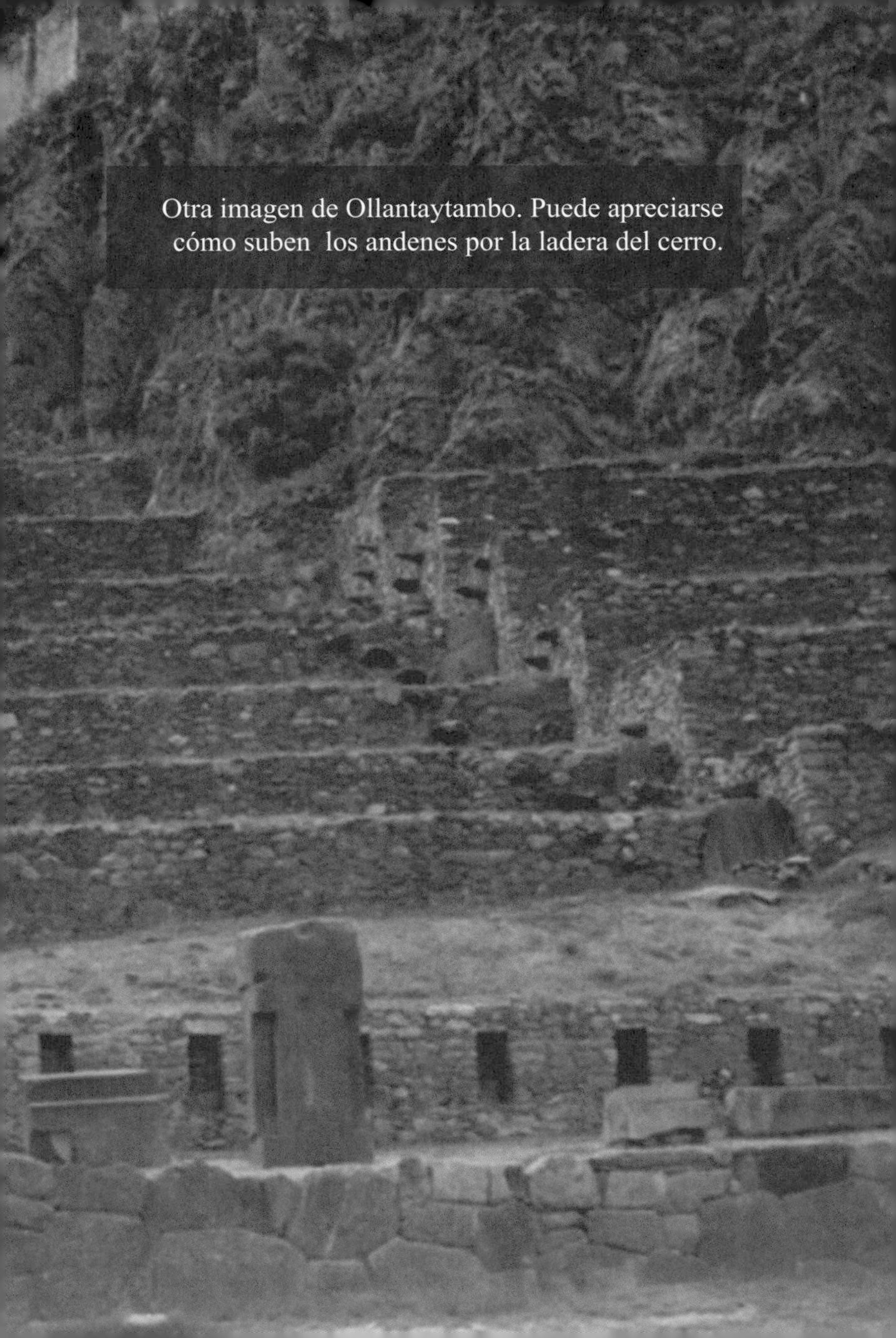

Otra imagen de Ollantaytambo. Puede apreciarse cómo suben los andenes por la ladera del cerro.

que el señorío tuviese cierta independencia en su desarrollo local. Continuaron con su desarrollo metalúrgico y ceramista cuyos productos abastecieron la ciudad de Cusco y otras importantes del estado.

El viaje que se estaba prolongando debía continuar. Llegaron a Cajamarca, lugar que se convirtió en un centro de operaciones militares. Desde ahí recorrieron distintos territorios que gozaron de alianzas políticas con los cusqueños como Chota, Cutervo, Leimebamba. Así llegaron al territorio de los mágicos Chachapoyas, hombres guerreros y fuertes, respetados en los andes del norte por su valentía y coraje. Su curaca Chuqui Sota no aceptó los repetidos requerimientos de alianza. No podía creer que un ejército que llegase de tan lejos podía vencerlos. Tampoco lo creeríamos, si es que no recordásemos la importancia que tuvieron los ejércitos rotativos a través del servicio de la mita. La estrategia consistió en recibir oleadas de indígenas que participaron en las huestes militares por temporadas, la renovación se daba entre las épocas de cambio de estación. Así aseguraron soldados efectivos y que se adaptaron a las diferentes inclemencias de los variados climas. La estrategia militar vino acompañada de una política, los incas rompieron las alianzas entre el curaca de Chachapoyas con los pueblos vecinos. Divides y ganarás. La historia popular cuenta que estamos frente a una de las acciones belicosas más sangrientas de la historia incaica. Debe ser porque los castigos fueron dolorosos para sus habitantes. Poblaciones enteras de curacazgos Chachapoyas fueron dispersas por todo el Tahuantinsuyu en condición de yanas y mitmas o mitimaes. Se supo de grupos llegados hasta el altiplano andino.

Pasaron cuatro años para su regreso al Cusco. El recibimiento de la población fue cómo siempre apoteósico. Pasaron otros dos años para que se organizase una segunda expedición hacia el norte. La ruta fue la misma y la llegada a Cajamarca, lugar de descanso obligatorio sirvió para establecer la estrategia final. Desde ahí la expedición continuó hacia los territorios piuranos de Huancabamba y Ayabaca. La motivación y confianza hacia sus ejércitos impulsó al más querido de los gobernantes cusqueños avanzar más al norte. No demoraron en chocar con las huestes de los cañaris que no habían sido sometidos por ningún señorío o curacazgo. La estrategia empleada por los cusqueños fue parecida a la utilizada con los chachapoyas. Evitemos los pormenores de las crueles batallas. La victoria nuevamente fue cusqueña. Llegaron a territorio ecuatoriano.

Como en Cañete, era necesario establecer un asentamiento inca que asegurase la presencia del nuevo Estado. Ocurrió con la ciudadela de Cañaribamba que sufrió un cambio urbanístico para su adaptación a una construcción estatal inca. Después de la algarabía, las tropas de Túpac Inca penetraron hacia la costa y bajaron al sur donde se toparon con el puerto de Manta. El espíritu aventurero del gobernante lo llevó a conocer la isla de Puná. Aunque el Inca quería más. No existe suficientes pruebas, pero historiadores actuales describen un viaje muy emocionante. El Inca acompañado de sus huestes inició una aventura por el Océano Pacífico. Miles de soldados que lo acompañaron. El viaje fue tan largo que se habla de más de un año. En el Cusco algunos atrevidos lo dieron por muerto. Nadie pudo creer que el Inca y sus huestes regresaran sanos y salvos. ¿Dónde estuvieron? Existen muchas posibilidades para pensar que ese largo viaje los llevó a otras costas. Estamos refiriéndonos a las islas del lejano continente de Oceanía.

Otra expedición importante fue la lograda hacia el sudeste, territorio conocido como Collasuyu. El viaje recorrió los territorios de Paucartambo, Chuncará, Chucuito. Sus grandes aliados se convirtieron en enemigos. ¿Qué ocurrió? Un soldado colla que regresaba a su tierra informó que el Inca había muerto. Los curacazgos del altiplano decidieron sacar provecho del incidente y lograr su ansiada libertad política y económica. Era, desde luego, falsa alarma. El Inca al enterarse del levantamiento decidió organizar un contraataque que contó con más de veinte mil soldados. No pudieron hacer nada las fuerzas de los lupacas y de los collas. Les costó caro su atrevimiento.

A partir de esta victoria el gobernante decidió avanzar hacia el sur. Recorrió los territorios actuales de Argentina y Chile. Cuando sus fuerzas militares llegaron a las riberas del río Maule, muy cerca de la ciudad de Santiago de Chile, el Inca se propuso regresar.

Existe la sospecha de que no quis entrar en conflicto con la brava y valiente etnia de los araucanos. Se organizaron cuatro grupos para su vuelta al Cusco. Los límites se extendieron. Estamos participando de grandes hazañas que llevaron al Estado Inca a ampliarse territorialmente. Parte de las repúblicas de Colombia, Ecuador, Bolivia, Chile y Argentina fueron escenario de la ocupación territorial del Tahuantinsuyu.

Como ocurrió durante el gobierno de Pachacútec, fue necesario ampliar la presencia administrativa. Se generalizó la presencia de los mitayos militares, yanaconas y mitmas como fuerza laboral y elemento de dominación ante los territorios ocupados. Además se estableció los censos poblaciones y lo más importante la construcción y adaptación de ciudades y fortificaciones con presencia de rasgos estatales. Huánuco, Cañari Bamba, Quito, Cochabamba se convirtieron en los nuevos cuscos.

HUAYNA CÁPAC Y LA CONSOLIDACIÓN

La necesidad de un sucesor se convirtió en la preocupación de Túpac Yupanqui. Necesitó confiar en una persona que mantuviese y continuase con sus campañas de expansión. La situación se presentó difícil. Por un lado, sus esposas secundarias confaluban entre ellas y por otro los orejones del Cusco no dudaron en presentar sus favoritos. Entre tantas dudas, la muerte sorprendió al Inca. Como en otras ocasiones, el Tahuantinsuyu quedó sin sucesor. En estos momentos la astucia y la diplomacia de los orejones debieron decidir. En un comienzo se pensó en el joven Cápac Huari, pero los rumores de que su madre había envenenado al gobernante anterior terminaron por desestimar la propuesta. Madre e hijo fueron

EL ONZENO INGA
GVAINACAPAC

desterrados. El campo quedó abierto y libre para el joven Titu Cusi Huallpa que recibió la mascaypacha durante la ceremonia en el templo de Rimac Pampa, aproximadamente en 1490.

El llamado ahora Huayna Cápac debió enfrentar las constantes rebeliones de los territorios sojuzgados. Cada cambio de mando era una verdadera guerra civil. Así el gobernante de menos de treinta años inició sus campañas de consolidación estatal. Una de las primeras expediciones estuvo dirigida hacia el Collasuyu. Otra vez las alianzas cumplieron un rol político. El avance territorial hacia los territorios del altiplano estuvo acompañado de una sensación de asombro y nostalgia. Llegaron a la isla del sol, a las ruinas de Tiahuanaco y Cochabamba. En ese lugar se volvió a fundar la ciudad como inca. La expedición continuó hacia los territorios de Atacama en Argentina y la región de Maule en Chile. La sensación de haber recuperado los territorios de su padre lo motivó a regresar a la ciudad capital.

La expedición más importante fue la del norte. Es entendible. La mayoría de los curacazgos y señoríos conquistados fueron a través de campañas militares violentas Se reclutó a diferentes grupos étnicos, entre ellos los Collas. La ruta fue la misma. La llegada a

Mapa que presenta el Tahuantinsuyu en su máxima extensión alcanzada desde 1438 d.C. hasta 1525 d.C.

Cajamarca coincidió con la incorporación de nuevos grupos de soldados a las fuerzas de Huayna Cápac. Confiados por la seguridad de sus huestes decidieron continuar hacia Cañaribamba.

La situación que encontraron fue muy distinta a la que esperaron. Es muy probable que la expedición de Túpac Yupanqui no lograse ocupar este territorio de manera política, y solo hubiese quedado en una visita de protocolo. El nuevo gobernante tuvo que cambiar su estrategia a una verdadera campaña militar de ocupación. Fueron años de constantes batallas entre las fuerzas de los cañaris y del Inca. No podemos olvidar que durante las temporadas de verano los soldados del Tahuantinsuyu eran rotados por nuevos grupos. Esta situación fue bien aprovechada por los hoy ecuatorianos que pudieron resistir ante ejércitos tan numerosos y cambiantes. Aunque después de tantas batallas crueles y tantas muertes el triunfo llegó para los cusqueños. Cañaribamba fue rebautizada como Tumebamba. El Inca utilizó

Descripción grafica de los indios tallanes del norte del Tahuantinsuyu. Ellos fueron uno de los primeros grupos de indígenas en tomar contacto directo con los españoles.

el nombre de su panaca para la nueva ciudad Inca. Además decidió convertirla en su nueva residencia. Es por ello que la convierte en una copia del Cusco. Fue necesario movilizar a grandes cantidades de trabajadores. Además fueron trasladadas desde la capital estatal enormes piedras que fueron empleadas en la edificación de la nueva residencia del gobernante, en el templo solar, los aclla huasis, piletas, plazas, etc. Se llegó al extremo de delinear dos ríos artificiales que semejasen al Huatanay y Tullumallo. Si uno visita la actual ciudad ecuatoriana de Loja puede ser testigo de esta magna y hermosa construcción urbanística.

Entonces el gobernante empezó a ordenar desde el norte. Creyó asegurar con su presencia un ambiente de paz y tranquilidad. Pero eso no ocurrió. Los documentos lo describieron como un personaje de poco carácter. Además, los orejones cusqueños no vieron con agrado la permanencia de su gobernante y se sintieron relegados frente a una nueva panaca que crecía en importancia para el norte. Se estaba viviendo un ambiente político distinto que el propio Inca no entendía. Durante su permanencia en la ciudad de Quito, el Inca fue avisado de la presencia de viajeros extraños. Hombres blancos que se comportaban de manera diferente. A inicios de 1526 las huestes de Francisco Pizarro llegaron al territorio del actual Ecuador. El Inca, hombre confiado, no tomó importancia. Un año después se desató en la región norte una epidemia de rubéola y sarampión. Nadie entendió lo que ocurría. Murieron cientos de hombres y mujeres. Cómo la enfermedad nunca hace distinción entre las clases sociales, el Huayna Cápac cayó contagiado. En los Andes a inicios del siglo XVI el fin de los incas había comenzado.

3

Reciprocidada andina: una forma de vivir

Antes de empezar a describir la relación entre matrimonio, alianzas y prestaciones es conveniente analizar una categoría que reguló el comportamiento común del poblador andino durante el periodo pre hispánico: la reciprocidad. Podemos entenderla como la mutua prestación de servicios o favores e intercambio de dones. Como la sociedad no conoció moneda, esta práctica actuó como reguladora entre los individuos y sectores del Tahuantinsuyu. Además este intercambio condicionó una relación de dependencia entre el que entregaba y recibía la prestación. La reciprocidad se evidenció en prácticas comunes desde el intercambio de productos entre familias o ayllus, la construcción de una vivienda por parte de los vecinos a una pareja recién casada o la entrega de textiles de un Curaca al Inca, así como la entrega de mujeres por parte del gobernante a otras autoridades.

En el nivel político los incas buscaron confirmar y reconfirmar lazos de reciprocidad de distinta manera. Una de las formas más comunes fue la entrega por parte del gobernante de "dones recíprocos" a los jefes de otros curacazgos o autoridades importantes. Los obsequios variaban según los requerimientos de la población local y podían ser metales preciosos, textiles, coca, llamas, aves exóticas, el mullu y otros. La concha marina o spondylus era empleada como ofrenda a los dioses, incluido en el vestuario del Inca y de autoridades importantes, así como obsequio de reciprocidad entre los jefes étnicos importantes. Aunque el obsequio que gozó de mayor prestigio y valor entre los límites del Tahuantinsuyu fue la entrega de mujeres. La autoridad cusqueña consideraba necesario asegurar una relación política estable con los jefes vecinos, así el gobernante ofrecía a sus hermanas, hijas o parientes para casarlas con los curacas de las etnias cercanas, a cambio el Inca recibía como esposas secundarias a hijas o hermanas de los propios curacas.

Este tipo de reciprocidad se manifestó a través de dos etapas. Durante la primera, entre los siglos XIV y mediados del siglo XV la autoridad cusqueña consciente que su territorio corría peligro de invasión por grupos vecinos de mayor prestigio e interés de expansión utilizó como estrategia política el enlace matrimonial. Además buscó que su futura esposa proviniese de una familia de linaje externo y así aseguraba una descendencia legítima e importante. Los primeros gobernantes decidieron casarse con la hija o hermana de los curacas de los gobiernos vecinos, creando además una jerarquía entre las esposas de acuerdo al tipo de alianza y el rango del curaca. Es decir una esposa principal o Coya y esposas secundarias. Simple poligamia. Después de haberse realizado la alianza, la esposa principal y las otras gozaban de un poder casi independiente, además que alcanzaron *status*, legitimidad, sirvientes o yanaconas, tierras y riqueza casi inimaginable. Esta situación, sin embargo, despertó la intriga entre las mujeres que se disputaban entre ellas mejores derechos y beneficios para sus hijos y sus pueblos de origen. Esta modalidad de reciprocidad es considerada un tipo de subordinación porque según la idiosincrasia de la época el donador de mujeres tenía mayor rango que el tomador de mujeres. Además esta práctica debía ser repetida y reforzada entre los nuevos gobernantes de los mismos pueblos aliados a la muerte de uno de los jefes.

Esta estrategia mejoraría a favor de los cusqueños a partir de las acciones tomadas por los gobernantes Hanan donde se establece la entrega mutua de mujeres. Un hecho que permite entender esta última situación de reciprocidad simétrica es lo que ocurrió durante el gobierno de Inca Roca. Como se recordará, en el primer capítulo se comentó la rivalidad política que surgió entre los ayarmacas y huyllacanes, como el posterior rapto del aún joven heredero Yahuar Huacac. La causa, el malestar que provocó el matrimonio de Inca Roca con Mama Micay. Años después el gobernante cusqueño decidió poner fin a las rencillas entre él y el jefe ayarmaca a través del matrimonio. Casó a su hijo Yahuar Huacac con la hija del curaca ayarmaca y este curaca se casó con la hija del gobernante cusqueño. De esta manera se buscó afianzar los lazos entre ambas autoridades y además se promovió el respeto que debería tener cada gobernante por el otro territorio. Esta unión matrimonial manifestó además, que los incas alcanzaron una igualdad ante el poder de los ayarmarcas. Sin embargo dicha alianza con el tiempo no tuvo un final feliz. Siendo inca Yahuar Huacac, ya de edad avanzada, decidió escoger como sucesor entre sus tres hijos a Pahuac Hualpa, desencadenando la ira de los pobladores de Huayllacán que ilusionados creyeron que el seleccionado sería Marcayuto, uno de sus descendientes. Este acto fue considerado como una ruptura de la alianza y en el momento que tuvieron en su pueblo al joven heredero decidieron matarlo. La venganza de Yahuar Huacac fue tan grande que ordenó asesinar a la mayoría de los pobladores y desterrar al resto de los sobrevivientes. Una segunda etapa está relacionada con las reformas que se desarrollaron durante el gobierno de Pachacútec. El gobernante condicionó el cargo de Coya a la pariente más cercana, es decir la hermana de padre y madre. Así se buscó mantener la pureza dentro de la panaca cusqueña y una legitimación mítica de ambos personajes. La Coya actuaba como asesora política de su esposo, además que influía en las decisiones de su hijo, el futuro gobernante.

Sin embargo sus afanes expansionistas y la necesidad de obtener mayor energía humana como mano de obra lo obligaron a mantener alianzas matrimoniales con los gobiernos vecinos. Esta modalidad de reciprocidad buscó concentrar la mayor cantidad de yanaconas y mitimaes a beneficio del gobernante y del propio Estado. Además la dualidad estableció una nueva relación: ahora los donadores de mujeres eran los cusqueños, es decir pasaron a ser Hanan y los pueblos sojuzgados que recibieron las mujeres pasaron a condición Urin. Decidió continuar con la estrategia de obtener esposas secundarias con menores privilegios para las hijas de los curacas allegados, así como la donación a estos de mujeres como mecanismo de retribución; pero, a la vez, de dominación. Claro está que las nuevas alianzas dependieron de la importancia económica y política que tuviese un curacazgo para el Cusco. Gobernantes como Viracocha, Pachacútec, Túpac Inca Yupanqui y Huayna Cápac se negaron continuamente a casarse con hijas o hermanas de curacas vencidos. Un caso muy curioso es lo ocurrido en una visita de Huayna Cápac al curaca de los lupacas. La relación era más que amistosa, pero en una celebración el jefe étnico le ofreció una de sus hijas como esposa al Inca. ¿Cuál fue su reacción? Retrocedió de manera rápida y se negó a recibirla. Estoy muy viejo para esos trances, dijo. Cierto o no, hacerlo hubiese significado un retroceso en el liderazgo cusqueño.

Con la intención de fortalecer los lazos de reciprocidad ordenó la construcción de edificios especiales conocidos como aclla huasi localizados en las regiones más importantes del Estado que concentraron a jóvenes mujeres provenientes de la mayor parte de los curacazgos del Tahuantinsuyu. Las acllas cuya traducción en castellano sería “escogidas”, eran seleccionadas siendo niñas (entre los ocho a diez años de edad) por su pureza, belleza física y habilidades domésticas. El reclutamiento se realizaba en todo el Estado una o dos veces al año. Las autoridades que se encargaron de su selección fueron los apopanacas o guarmicoc. Estas mujeres eran llevadas a las distintas casas o aclla huasis que fueron construidos en distintos lugares como Cusco, Pachacamac, Farfán, Tumebamba, etc. Quedaban al cuidado de mujeres mayores conocidas como Mamaconas que además se encargaron de darles una educación de tipo doméstico y ceremonial por un periodo de cuatro años. A partir de entonces, estaban preparadas para cumplir determinadas funciones.

Existían diferentes jerarquías entre las jóvenes que respondía a su origen, belleza y habilidad femenina. Unas fueron conocidas como las Yurac acllas, que provenían de la familia cercana del Inca y eran consagradas o donadas a su dios, es por eso que también se les llamaba “vírgenes del sol”. Otras, las Huayrur acllas, que según los cusqueños eran las mujeres más bellas que provenían del Chinchaysuyu, eran seleccionadas por el propio Inca para convertirlas en las futuras esposas secundarias del mismo gobernante. Además estaban reclutadas las Paco acllas que eran educadas para ser las futuras seleccionadas por el Inca y ser donadas como esposas de curacas y de grandes guerreros. Otro grupo lo integraron las Sumac acllas que se dedicaron a labores de tejido y el cuidado de las tierras agrícolas que pertenecieron a los dioses o huacas. Es así que la doble función que realizaron las acllas respondió a una política de reciprocidad practicada por el Estado Inca debido a que estas mujeres y los textiles elaborados por ellas mismas fueron considerados a partir del gobierno de Pachacútec como los dones más requeridos y apreciados dentro del Estado cusqueño.

Esto es corroborado por los documentos dejados por los cronistas quienes se asombraron, escandalizaron o, quizá, envidiaron la gran cantidad de esposas que podía tener un representante de la nobleza cusqueña o provincial, un curaca importante, el propio Inca o el mismo dios sol. Un caso muy comentado ocurrió durante el gobierno de Túpac Yupanqui que durante una ceremonia realizada en un curacazgo al norte del Cusco donó muy entusiasmado cien mujeres al jefe del gobierno local. Otro caso señala que durante su breve permanencia en el poder, Atahuallpa ordenó la entrega de una gran cantidad de mujeres a un jefe principal del curacazgo de Chimbo (actual Ecuador) como forma de congratulación. Es imaginable el dolor de cabeza para los religiosos católicos del siglo XVI hacer entender a las autoridades locales y estatales de lo importante de desterrar esa práctica de las buenas costumbres de la sociedad que entendían entonces como moderna.

MITA, AYNI Y MINKA

Uno de los debates más comunes entre los especialistas del periodo incaico es si se debe reconocer a esta civilización como un Imperio o como una organización política *sui generis*. Dejemos la duda a ellos. Lo que no cabe duda es que la política expansionista promovida desde el gobierno de Viracocha y Pachacútec tuvo una motivación distinta a las campañas militares de otras sociedades como las occidentales. La mayor parte de los servicios y productos que necesitaba el Estado incaico se obtenía a través de la energía humana que proporcionaban sus habitantes. A mediados del siglo XV los requerimientos fueron mayores que la población. Era necesario que el Estado cusqueño obtuviese mayor cantidad de mano de obra que participase en las diferentes actividades militares, de construcción, agrícolas, mineras, manufactureras que cubriese las necesidades y expectativas de los dirigentes y de la población.

Aparece así otra modalidad de reciprocidad. Después de haberse realizado la alianza matrimonial entre el gobernante cusqueño y las hijas de los curacas vecinos planteamos una inquietud ¿qué acciones manifestaba esta alianza? El curaca se comprometía en la entrega periódica y rotativa de capital humano al aparato político cusqueño a cambio de recibir para su pueblo productos variados a los obtenidos en su propia región. Esta entrega rotativa de energía humana fue conocida como el sistema de la mita (coger turno). Pachacútec que conocía de este tipo de tributación la generalizó a todo el Estado como mecanismo de unificación y dominación.

Este tipo de reciprocidad exigió al Estado cusqueño la puesta en práctica de un sistema de contabilidad. Autoridades conocidas como Quipucamayocs se trasladaron por las diferentes provincias y pueblos sometidos obteniendo información de la cantidad de población útil

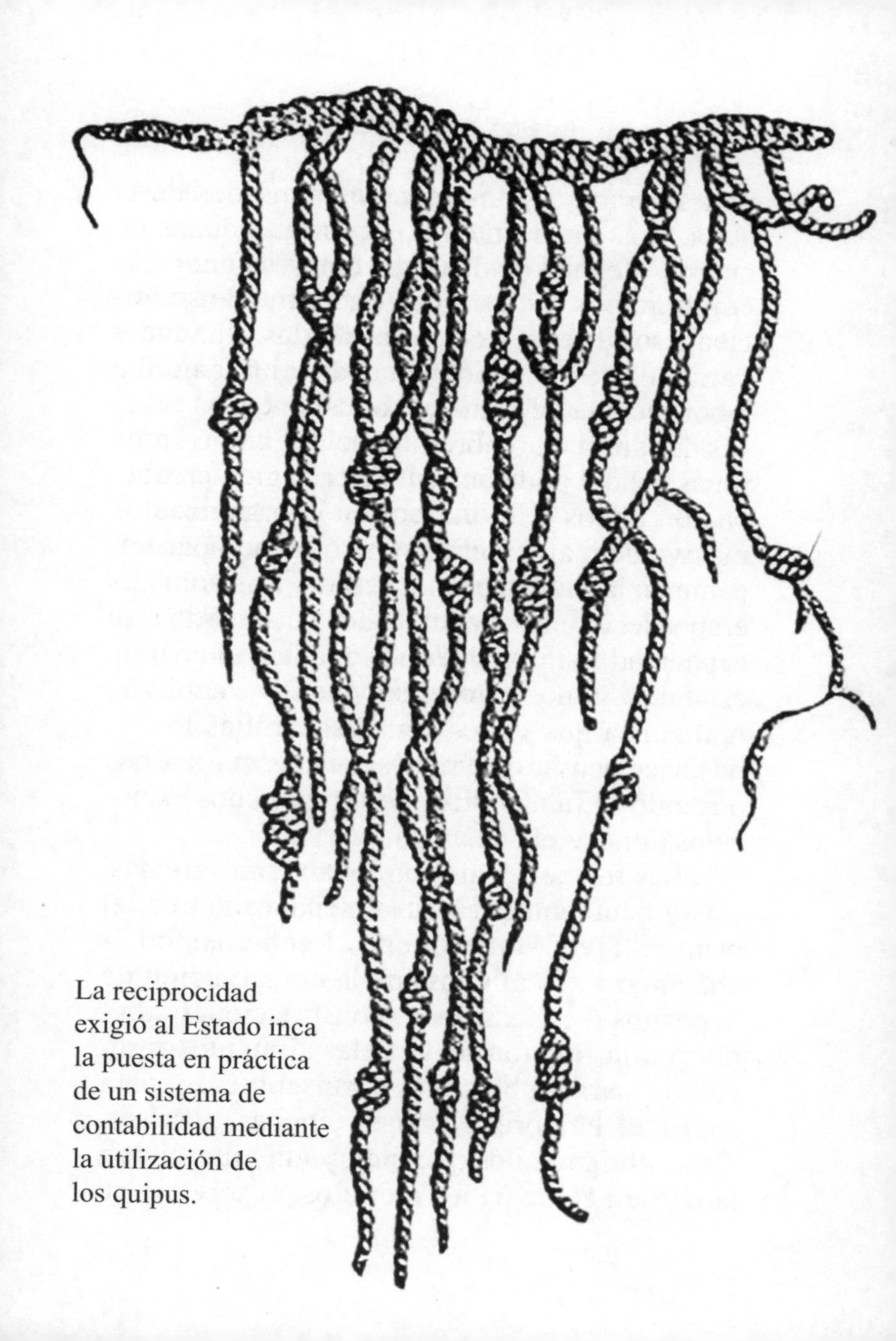

La reciprocidad exigió al Estado inca la puesta en práctica de un sistema de contabilidad mediante la utilización de los quipus.

para el trabajo y los recursos naturales de la zona. Los datos obtenidos eran guardados en cuerdas de lana de distintos colores conocidas como quipus. Es así que el gobernante solicitaba a sus diferentes curacas aliados cantidades variables de población apta para el trabajo. La labor recaída de manera exclusiva en las cabezas de familia, hombres conocidos como hatun runas. Ahora podemos entender la gran preocupación de los jefes étnicos en la organización masiva de matrimonios, y es que todo participante en la mita debía ser casado. Los hombres eran seleccionados a una labor de acuerdo a su capacidad física y al requerimiento del aparato estatal. Algunos autores suponen que debieron realizar largos viajes con sus familias lo que nos hace pensar de grandes oleadas migratorias por todo el Tahuantinsuyu y en periodos exclusivos durante el año.

Las funciones que cumplían eran variadas. Los documentos escritos señalaron que el primer "favor" que solicitó el gobernante Pachacútec a sus aliados fue la construcción de depósitos o collcas. Estas construcciones cumplieron la función de guardar alimentos y recursos para poblaciones transeúntes o para suplir el hambre y frío en épocas difíciles. Otras obligaciones que incluyó la mita fueron la participación en los ejércitos, el servicio de mensajeros , cumplimiento de faenas agrícolas y ganaderas en las terrazas de la nobleza y de las huacas principales, construcción de caminos, puentes y tambos, edificación de ciudadelas que imitaron a la capital estatal, trabajo en las minas y en la pesca, etc.

La fuerza laboral que participó directamente en estas obligaciones fueron los llamados mitayos, hombres conocidos por ser trabajadores no especializados. Es por ello que las funciones que cumplieron fueron rotativas. Durante un periodo de tres meses pudieron dedicarse a la siembra y cosecha de la coca y luego trasladarse por otros meses a la construcción de un templo solar. Luego eran enviados de nuevo a sus ayllus y siguieron cumpliendo con sus faenas domésticas. La labor que cumplían los mitayos perduraba por muchos años hasta que llegaban a ser ancianos. No había problema, la posta era continuada por los nuevos recién casados. Ahora, ¿qué recibían a cambio estos trabajadores? El Estado entregaba a sus contribuyentes cantidades enormes de chicha, coca y alimentos que eran considerados recursos muy valiosos para la población. Los cronistas describen las grandes cantidades de banquete que eran ofrecidos por los representantes del Inca a las poblaciones mitayas durante sus largas faenas. Claro es que estamos refiriéndonos a un tipo de reciprocidad asimétrico porque el gran beneficiado fue el Estado incaico. El esplendor y admiración que nos hace sentir los testimonios monumentales incaicos están relacionados a la energía humana de estos contribuyentes.

Además de la participación de los mitayos, este sistema incluyó a otras agrupaciones que se caracterizaron por ser especialistas en una actividad específica. El Estado permitió a estos grupos su permanencia en sus propios ayllus y que sean acreedores de recursos variados a cambio de trabajos y servicios de excelente calidad. Estos trabajadores fueron conocidos como los camayocs. Las funciones de estos contribuyentes se relacionaron con su tradición de especialistas. Los pueblos de la costa norte continuando con la tradición de los Mochica y de los Chimú se dedicaron a labores de ceramistas y metalurgos, cuya producción era enviada de manera exclusiva al Cusco y a las ciudades estatales. Según algunas fuentes se les negó su participación en cuestiones militares por ser considerados personajes no seguros ni confiables. Otro grupo, llamados los qollas, se dedicaron a la construcción de canteros; los chupaychus de Huánuco a la fabricación de sandalias y los chachapoyas y cañaris fueron reclutados a cuestiones específicas de guerra. Un grupo muy interesante de especialistas fueron los hombres de Chincha que mantuvieron su tradición de mercaderes y se encargaron de intercambiar productos por todo el Estado. Además gozaron para ellos de caminos breves con dirección al mar. Los investigadores sostienen que estos hombres aprovechando su cercanía al mar llegaron hasta las costas de América central y que su actividad fue de alto nivel, esto lo evidencia hallazgos de balanzas y posibles monedas que sirvieron como medio de intercambio.

En el caso de las mujeres, las acllas cumplieron también una función de especialistas. La elaboración de la chicha fermentada consumida a cualquier momento y por cualquier poblador, así como la confección de textiles utilizando fibras de algodón y lana de camélidos, así como el mullu proveniente de los mares ecuatoriales permitió a estas mujeres ser consideradas como una importante fuerza laboral. Es por ello que la construcción de sus centros de reclutamiento fue una prioridad y política de Estado. El Inca, entonces, figuraba como el gran redistribuidor. Todos los productos confeccionados eran enviados a la ciudad capital y desde ahí el Inca dirigía su distribución a las provincias y organizaba las donaciones de acuerdo a las necesidades de los curacas.

Además existieron tipos de mitas que se desarrollaron a un nivel local. Uno de ellos fue la minka o trabajo colectivo a beneficio del propio curacazgo. Esta actividad planificada por el propio curaca concentró la energía humana de familias enteras que participaron en diferentes faenas y por temporadas especiales. Las labores fueron variadas como la construcción de puentes y depósitos, sembrado de terrazas agrícolas o andenes, mantenimiento de las tierras de las huacas locales, construcción de templos, el resguardo de los senderos del pueblo, etc. El curaca participaba a través de la entrega a sus colaboradores de comida, bebida y coca. Cumplida la actividad se organizaba un gran banquete donde la bebida o chicha y la comida no podía faltar. Es así que las fiestas y banquetes formaron parte de la vida diaria del poblador andino. Los pobladores cumplieron además faenas a beneficio de grupos especiales. Se organizó el trabajo agrícola en las tierras de grupos especiales como el de viudas, huérfanos, ancianos o inválidos. Además los pobladores colaboraban en la construcción de las viviendas de parejas recién casadas. Estas actividades se caracterizaron por ser voluntarias y de carácter gratuito.

Finalmente podemos mencionar al ayni. Este tipo de reciprocidad se practicó entre familias de un mismo pueblo y estuvo relacionada con las faenas agrícolas y domésticas. Cuando un grupo familiar necesitaba mayor mano de obra recurría a solicitar ayuda a otras familias cercanas. En un futuro se esperaba que esta familia apoyase a las otras en caso de nuevas necesidades de trabajo. Lo interesante es que muchas familias ofrecían continuamente su energía física, así concentraban mayor cantidad de favores y por ende de un estatus dentro del pueblo. Es por ello que la mita no puede ser entendida como un simple acto de generosidad, escondió muchos intereses y beneficios para determinados grupos de individuos que supieron aprovecharse de las necesidades de otros.

Ahora, no pensemos que todos los habitantes de los Andes cumplieron fielmente las responsabilidades de sus grupos. Muchos hatun runas se auto excluyeron de sus trabajos colectivos y de colaboración al Estado. Esta difícil situación exigió a los curacas y autoridades estatales tomar acciones de represalia frente a los rebeldes pobladores. Si bien, no existe la seguridad de la existencia de esclavos en el Tahuantinsuyu, podemos decir que muchos hatun runas y sus familias fueron alejados de sus pueblos o pasaron a condición de yanaconas perpetuos. Aunque no es justo, los errores de un poblador andino podían arrastrar a toda su descendencia.

Juanita, un sacrificio dentro de la reciprocidad

Como estamos viendo, la reciprocidad fue un mecanismo económico, social y político organizado desde el Cusco que involucró a los diferentes estamentos de sociedad del Tahuantinsuyu. El curaca local actuó como intermediario a través de la recolección y redistribución de los "dones" o bienes que fueron repartidos a la llacta principal y distintos puntos del Estado: tambos, caminos, collcas, aclla huasis, huacas, etc.

Los rituales o ceremonias religiosas pueden ser incluidos dentro del modelo de la reciprocidad. El poblador andino en la búsqueda de congraciarse y asegurar beneficios para él y su pueblo participó de estas ceremonias en honor a las acciones del Inca considerado como un dios, así como de otras divinidades locales y estatales. La religiosidad estuvo presente en todos los actos. Lo novedoso es que estas ceremonias consideraban el sacrificio de animales y en muchos casos el de niños.

En el caso del sacrificio de animales la llama fue el animal que participó en la mayoría de estos rituales. Los camélidos eran recluta-dos por los curacas de lugares lejanos a través de la mita y llevados para participar en las principales ceremonias como el ascenso de un nuevo gobernante, el inicio de un nuevo ciclo agrícola, el inicio de una nueva invasión terri-torial, la veneración a un dios importante, etc. Un ejemplo es la ceremonia del Inti Raymi que se realizaba durante el mes de junio. En un momento del ritual se soltaba a cientos de llamas por las calles del Cusco y jóvenes del lugar se encargaban de cogerlas y matarlas en una gran lucha, acto que la gente disfrutaba como si fuera un hermoso espectáculo de deporte. Además el sacrificio de estos animales tranquilizó el carácter endemoniado de algunos dioses locales, como los rayos, truenos, así como de las cerros o nevados andinos. Es común que los arqueólogos encuentren en mu-chos nevados después de un deshielo restos de sacrificio, siendo los huesos de estos animales los más comunes.

La llama fue sacrificada también como un medio de conocer el futuro de los gobernantes. Ante la curiosidad de conocer qué suerte

La carne de la llama era destazada y colgada en trozos para perder el agua y quedar seca. El resultado era conocido como charqui. Hasta el día de hoy es común su consumo en Ecuador, el Perú y Bolivia. La llama también era utilizada en ritos religiosos.

tendría el sucesor se practicaba el ritual que consistía en abrir una llama viva y extirparle parte de sus órganos que según el color y la forma de estos definía los buenos o malos augurios del joven heredero. Los cronistas señalaron que después de la elección de Ninan Cuyuchi como futuro heredero de Huayna Cápac, un allegado a la familia sacrificó una llama blanca y comprobó el pésimo augurio que esperaba al joven. A la elección de Huáscar el augurio fue igual de negativo. Coincidencia o no, esta práctica muchas veces condicionó las decisiones tomadas por las autoridades en la elección de futuras autoridades.

El sacrificio de los niños y jóvenes merece un análisis especial. Algunas investigaciones sostenían que estos sacrificios fueron restringidos a ceremonias muy importantes relacionadas con la vida del Inca como su nacimiento, ascenso y muerte. Sin embargo, existen evidencias que esta ceremonia estuvo presente en el calendario de las principales festividades del Estado, así como estrategia final de alianzas políticas entre autoridades locales o como mecanismo que emplearon los ayllus o pueblos para congraciarse con sus dioses locales y mayores.

La ceremonia era conocida como Capacocha o Cápac Ucha y se institucionalizó durante el gobierno de Pachacútec. Este ritual era practicado en la llacta cusqueña y en todas las provincias. Hasta ahí llegaban aproximadamente 200 niños de ambos sexos que eran seleccionados por su pureza y belleza física. Eran acompañados a la capital por sus propias madres y los jefes de sus pueblos nativos que traían consigo además tejidos muy finos, estatuillas de oro y platas, conchas marinas, etc. Si la ceremonia se realizaba en la misma ciudad se invitaba a los niños a caminar por las calles del Cusco acompañando a las autoridades importantes como el Inca, los orejones, además de los mallquis e imágenes de los gobernantes fallecidos. En la misma plaza principal se iniciaba el ritual que consistía en dar de comer y beber abundante chicha lo que le provocaba en los niños un fuerte mareo. En el momento que estos se sentían débiles por los estragos de la bebida se les estrangulaba para luego arrancarles el corazón. La sangre de los pequeños era utilizada para pintar los rostros de las imágenes que representaban a dioses o gobernantes difuntos.

Ahora, si la ceremonia era dedicada a dioses importantes como la tierra o Pacha, al trueno, a Huanacauri etc., el sacrificio se realizaba en las propias huacas. La masa humana se distribuía en cuatro grupos y se alejaba de la ciudad siguiendo un camino recto. Cuando se llegaba a un lugar de culto se detenían y enterraban oro, plata y objetos de concha. Si el lugar era considerado muy importante se realizaba el sacrificio de los niños. La sangre de ellos servía para ser pintada en las huacas como símbolo de gratitud. Muchas veces estos peregrinajes eran muy largos lo que obligaba al Inca a tener un Quipucamayoc de acompañante que se responsabilizaba de hacer el control de los sacrificios y entregas.

Los sacrificios incluyeron además a jóvenes doncellas que en muchos casos provenían de la parentela más cercana del curaca. Un caso comentado fue el sacrificio que se realizó a la hija del curaca de Ocros como alianza entre su padre y Pachacútec. La joven cargada en andas salió de su territorio con dirección a la ciudad del Cusco donde recibió el homenaje de los pobladores y de la máxima autoridad. Cuando regresó a su pueblo fue embriagada y enterrada viva en una cámara subterránea. El lugar de su entierro se convirtió en un centro de veneración de los pobladores de Ocros que perduró hasta comienzos del periodo colonial. Las autoridades católicas evitaron que se venere a este lugar y se ordenó una nueva sepultura a la joven doncella.

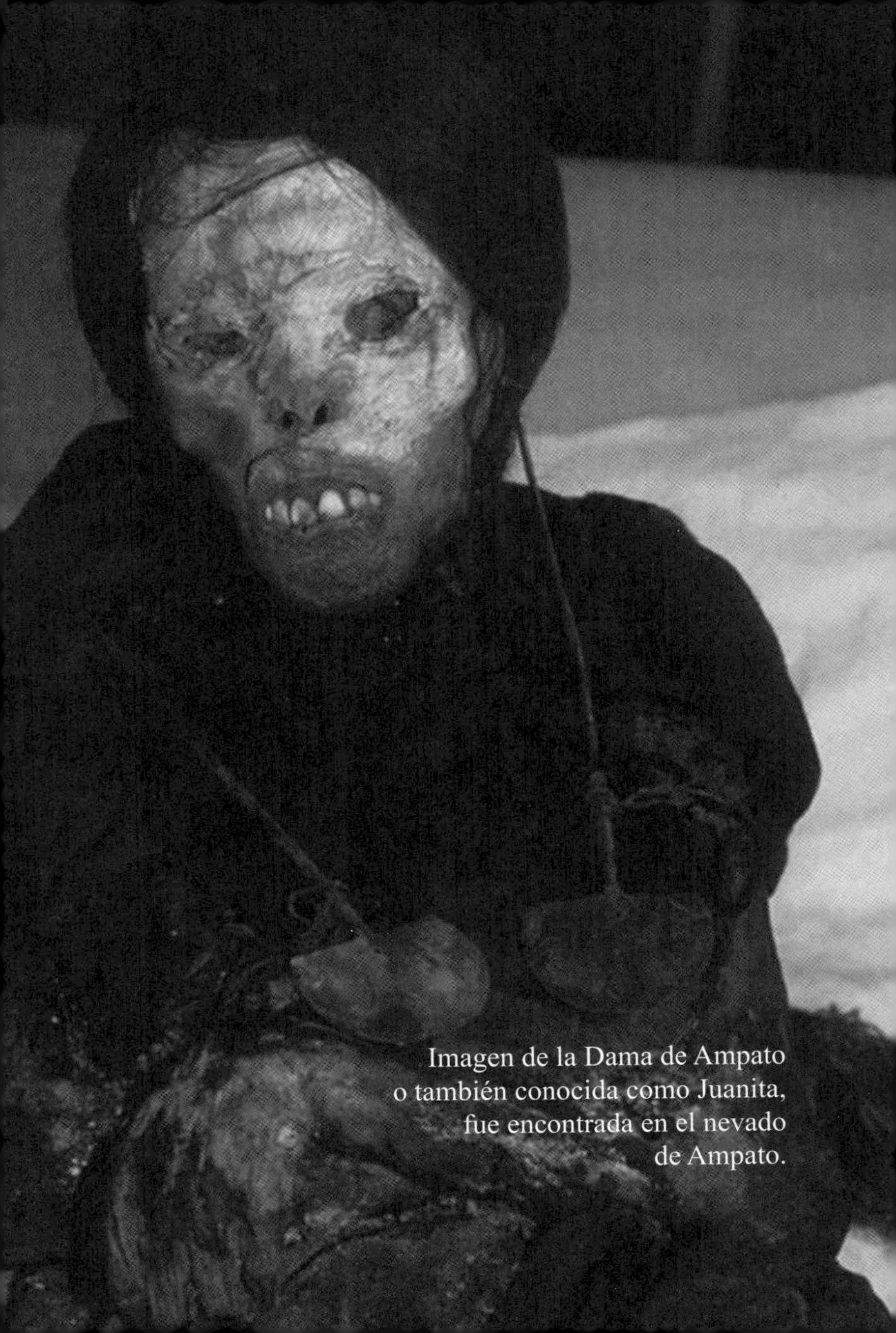

Imagen de la Dama de Ampato
o también conocida como Juanita,
fue encontrada en el nevado
de Ampato.

Gracias al trabajo de los arqueólogos conocemos de una nueva evidencia de sacrificio humano relacionado con el culto a los nevados conocidos como los apus. Durante muchos años los investigadores han hallado individuos aparentemente sacrificados en la cima de algunos nevados del actual departamento peruano de Arequipa, tales como el Ampato, el Sarasara, el Coropuna. Estos sacrificios pudieron ser realizados por lugareños de la zona como una forma de agradecimiento y recompensa a su pacarisca. Sin embargo uno de estos nevados guardó por mucho tiempo uno de los "descubrimientos" del siglo XX más importantes para la arqueología peruana.

El hallazgo ocurrió hace doce años en el nevado de Ampato. La noticia fue dada a nivel mundial. Dos años antes, las fumarolas y gases que emanaban del volcán Sabancaya habían provocando la retirada de parte de los hielos del nevado vecino lo que permitió que un entierro quedase casi al descubierto. Se había rescatado el cuerpo de una joven con una antigüedad de más de quinientos años. Los investigadores la bautizaron como la dama de Ampato o "Juanita". Muy cerca de su entierro se encontró los restos de tres personas que habrían sido sacrificadas por las mismas causas que provocó la muerte de la joven.

Ahora se puede conocer más de ella. Según las investigaciones pudo haber residido en la ciudad de Arequipa o Cusco. Era llamada Palla, es decir era una pariente cercana de la nobleza Inca. Tenía entre doce a catorce años de edad y pudo ser seleccionada entre tantas jóvenes por su belleza física. Era de piel clara y tenía una nariz muy pequeña, rasgos que definían la belleza en la época. Las constantes heladas del nevado estuvieron malogrando las cosechas del pueblo, era necesario el sacrificio para obtener una recompensa o premio. Otra vez pregunto: ¿podía negarse el apu a semejante entrega? La costumbre exigía que sea trasladada en andas por una gran comitiva hacia la ciudad del Cusco donde sería esperada por las máximas autoridades que participaban de la ceremonia de Capacocha. Ahí recibió de las manos de Túpac Inca una pequeña muñeca de oro que simbolizaba al sol. Después, la misma comitiva la llevó con dirección hacia el nevado de Ampato.

Ahí se inició el complicado y triste ritual.

La joven murió por los múltiples y graves golpes que recibió en la cabeza con una macana. Instantes después fue acomodada en forma fetal mirando con dirección al sol y la cubrieron con un manta y pañuelos muy hermosos elaborados con finas fibras de alpaca solo usados por representantes de las nobleza del Tahuantinsuyu. Su vestimenta o lliclla era de color rojo y blanco. Además el cuerpo inerte estuvo acompañado de tres pequeñas muñecas que simbolizaban el sol, la tierra y a la propia Juanita. Se colocó algunas semillas de maíz y coca, así como chicha de jora, ceramios o aríbalos y se cubrió el cuerpo con una capa de tierra especial. El tipo de entierro y las ofrendas que acompañaron a la joven hace suponer que pudo ser la hija de un curaca importante de la región.

La enorme cantidad de capacochas descritas por los documentos no coinciden con los hallazgos humanos encontrados por los investigadores. Exageración o no, estos sacrificios respondieron a una visión muy distinta de lo que entendieron los pobladores andinos sobre temas tan controversiales y filosóficos, como son la vida, la muerte, la entrega y el recibimiento.

4

Poder local y regional: una estrategia de gobierno

La sociedad de los Andes articuló a diferentes sectores y organizaciones complejas, en ese sentido, el mundo de los vivos se vinculó con el de los muertos, en la que la reciprocidad y las alianzas determinaron un manejo económico y político *sui generis*. Además la sumisión y las intrigas determinaron comportamientos y decisiones importantes, destacando la presencia de un gobernante que reflejó las fortalezas y debilidades de un Estado en crecimiento.

El Inca representó en su persona al Estado. Es por ello que recibió trato de dios. El soberano Inca fue llamado con distintos nombres. Uno de los más comunes fue el de Intichuri que significaba "hijo del sol" o Huaccha Khoyaq que puede ser traducido como benefactor de los pobres. Se reflejó en la ceremonia de su ascenso, el inicio del año agrícola, el de las campañas militares y en su paso a la otra vida. Era una huaca, como lo fue el sol, la luna o un rayo. Por ello, era desplazado en andas, ya que los dioses no debían caminar. Es poco fiable aventurar un número sirvientes o yanaconas que participaron como cargadores de andas o ushnu durante las largas campañas que realizaron los últimos gobernantes por todo el Estado. Por ejemplo, cuando los españoles tuvieron la primera conversación con Atahuallpa, este los recibió sentado en un pequeño trono de madera, acompañado de una comitiva de sus esposas y principales allegados. Durante el tiempo que duró la conversación nadie osó levantar la cabeza.

Al Inca, como huaca que era, nadie podía mirarlo de frente ni siquiera dirigirle la palabra. Se comenta que cuando el Inca pasaba cerca de un pueblo la gente se encaminaba hacia las montañas. Desde allí le ofrecían coca, algunos frutos y, si no había algo que ofrecer, se arrancaban las pestañas y las soplaban hacia su gobernante. Además ni siquiera le era permitido al pueblo mencionar su

Antigua ilustración que muestra el momento en el que Atahuallpa acude al encuentro con Francisco Pizarro en Cajamarca. Como puede verse, el Inca iba en andas cargado por varios sirvientes.

nombre. Solo algunos curacas como los representantes de los lupacas y los chinchas tuvieron una relación cercana al gobernante, por eso, lo acompañaban en algunas ceremonias y expediciones importantes.

Era tanto el poder sagrado del Inca que no repetía vestimenta ni calzado, por eso era necesario que los aclla huasis estuvieran abastecidos de algodón, lanas de alpaca y vicuña. Su vestuario incluía un uncu o camisa de algodón con adornos exclusivos hechos de spondiylus y metales preciosos. Lo protegía una capa o llacolla confeccionado de lana de camélidos. Las sandalias u ojotas eran confeccionadas de la piel de llamas. En la cabeza usaba una banda tejida y trenzada, llamada llanto, acompañada de plumas. Sobre ella se encontraba una borla gruesa conocida como mascaypacha. No olvidemos las enormes orejeras que adornaban sus lóbulos como un verdadero designio de poder. Es incalculable la cantidad de individuos, provenientes de diferentes lugares, que sirvieron a los requerimientos egocéntricos del gobernante cusqueño.

Una manera de medir su poder era a través de la posesión de tierras y centros residenciales. El gobernante no heredaba, durante su gobierno obtenía sus propiedades personales. A partir del gobierno de Inca Roca se mandaron a construir residencias de descanso cerca al territorio cusqueño. Durante las campañas de expansión territorial las residencias y tierras agrícolas para los gobernantes y sus panacas estuvieron descentralizadas. En dichos complejos se encontraban una gran masa de sirvientes o yanaconas que fueron desplazados para cumplir con las labores de edificación y cuidado de las propiedades del gobernante. El lugar de residencia del Inca fue la ciudad del Cusco, aunque líderes como Túpac Yupanqui o Huayna Cápac prefirieron residir en la ciudad de Tumebamba.

Existió una relación importante entre el Inca y la Coya. Según la visión andina el matrimonio entre ellos era el complemento ideal, la unión de lo masculino y femenino. La unión entre el representante del sol y la luna. Es por ello que, la selección de la futura esposa debió realizarse con anterioridad para que la elegida conozca los rituales y responsabilidades que iba asumir. Ella participó como acompañante en la mayor parte de las expediciones militares; recibió un trato preferencial al costado del Inca en las principales ceremonias en la ciudad del Cusco. Muchas veces la Coya fue la máxima consejera de su consorte, asesorándole en la selección de las autoridades locales,

aucapacharuna
ste rreyno delas yns

en las estrategias militares y en la selección del futuro gobernante o auqui.

Los funerales del Inca gozaron de una prestancia impresionante. Dicha ceremonia concentraba la mayor participación de los sectores sociales cusqueños, así como a los jefes de otros grupos étnicos. Es así que involucró al pueblo, autoridades, la panaca cusqueña y al propio Inca. ¿Cómo podía participar el gobernante si ya había fallecido? Lo que ocurría es que muchos de ellos planeaban su propia ceremonia funeraria, algo parecido al de los faraones egipcios. Era una forma de asegurarse su paso a la nueva vida. Uno de los funerales más importantes fue el realizado a Pachacútec. Fue tan impresionante que a mediados del siglo XVI, este hecho era narrado con lujo de detalles a los cronistas de la época.

El Inca lo planeaba todo. Es por ello que, tiempo antes de su muerte dejaba instrucciones para la ceremonia de sus funerales. ¿Qué pudo haber ordenado el egocéntrico gobernante? Cosas increíbles. Luego de ocurrida su muerte, los habitantes del Estado debían simular por varias semanas su hondo pesar en condición de duelo. También debían de participar de las ceremonias de ofrendas al Inca fallecido y los dioses principales. En la ciudad del Cusco se ofrecerían los últimos homenajes. El ritual de guerra era con la participación de las panacas de Hanan y Urin, en el que salían siempre vencedores los Hanan. El ritual de la Capacocha debió incluir la participación de millares de niños de todas las regiones. Finalmente, todas las pertenencias del Inca eran enterrados y sus ganados y depósitos quemados.

El Inca transitaba así a una nueva vida. Era importante la participación de las panacas. Eran encargadas de llevar el cuerpo inerte del gobernante a un nevado cercano por un periodo de dos meses, así el cuerpo se mantenía intacto para su vida perpetua. Después de los funerales, eran las encargadas de velar y proteger el cuerpo o mallqui. Los Incas no eran enterrados, se comenta que descansaban en sus residencias y tenían vida propia. Salían en andas y participaban en las diferentes ceremonias realizadas en el Cusco y otras provincias importantes. En algunos casos las ceremonias eran simultáneas en todo el Estado, es por ello que se empleaban algunos ídolos como reemplazo del gobernante. En una ceremonia importante la panaca del gobernante de turno se trasladaba en primer lugar, luego estaban las familias de los gobernantes anteriores que acompañaban a su mallqui. Creemos que existe la posibilidad de que los funerales de la

Coya recibieron el mismo trato magnífico que su esposo, porque al igual que el gobernante recibió el trato de un dios como representante de la luna. Betanzos hace una descripción de los rituales organizados por el Inca Huayna Cápac frente a la muerte de su querida esposa Mama Ocllo. Dice el autor que el Inca exigió que los funerales durasen varios días, que los pobladores llorasen y visitasen los lugares por donde se había trasladado la Coya. Finalmente fue llevada al templo de la luna.

Lamentablemente, la llegada de la cultura occidental significó el fin de las ceremonias andinas. Las panacas cusqueñas intentaron esconder y seguir custodiando a sus líderes pero no pudieron. Suponemos que muchos de los mallquis recibieron cristiana sepultura. Sin embargo, hasta el día de hoy no se ha encontrado cuerpo o entierro que nos haga pensar que el hallazgo pertenezca a un Inca o personaje importante de la nobleza cusqueña o provinciana.

El trato simbólico y sacrálico que recibió el Inca durante y después de su gobierno fue impresionante. Su vida trascendió al mundo del subsuelo (uku pacha), tierra (kay pacha) y el cielo (hanan pacha). Es por ello que podemos creer que nadie de su entorno podía enfrentarlo o contradecirlo. Convertirse en Inca

El Inca lo planeaba todo. Es por ello que, tiempo antes de su muerte, dejaba instrucciones para la ceremonia de sus funerales. Sin embargo, aún después de muerto, el Inca seguía participando de vida cotidiana. En realidad, en la cultura inca, los muertos coexistían con el mundo de los vivos.

fue en un reto. Las sucesiones dinásticas son reconocidas como las acciones más violentas y trágicas de la Historia andina. Muchos designios estuvieron marcados por las intrigas, calumnias y muertes, en la que sus protagonistas fueron los miembros del entorno principal del representante del sol.

Algunos historiadores describen lo ocurrido durante el gobierno de Pachacútec. El gobernante había designado como sucesor a su hijo Amaru Tupa Inca que participó de las campañas militares acompañando a su padre. No fue suficiente. Los orejones cusqueños nunca confiaron en el joven y no aceptaron su posterior proclamación. Caso igual ocurrió durante el gobierno de Túpac Yupanqui. Tuvo la intención de designar como sucesor a su hijo Qhapaq Wari, pero el joven fue rechazado y excluido por parte de la nobleza que apoyó a Huayna Cápac y, logró convertirse en el elegido. Su corta edad obligó al Estado a seleccionar dos parientes como regentes del futuro soberano. Uno de sus tíos quiso matar al joven Huayna Cápac para designar como sucesor a su propio hijo. La suerte estuvo con el futuro Inca que recibió el apoyo del otro pariente. Este lo acompañó en la mayor parte de sus campañas militares.

La muerte inesperada de Huayna Cápac provocó una grave crisis política. Otra vez, el Tahuantinsuyu vivía un periodo de incertidumbre. Dos panacas se enfrentaron por la posesión del poder incaico. La cusqueña estuvo representada por Huáscar y la de Quito por Atahuallpa. Hermanos enfrentados por la mascaypacha. Ninguna conversación, ceremonia ni alianza alguna pudo solucionar lo que vendría tiempo después: una guerra civil.

¿Gobierno centralista o descentralista?

Hacer un cálculo de la extensión del Tahuantinsuyu es una tarea difícil. Más aún cuando las evidencias arqueológicas se dispersan a mayor distancia del Cusco. Los arqueólogos e historiadores sospechan que durante la época del gobierno de Huayna Cápac, el Estado incaico llegó a más de dos millones y medio de kilómetros cuadrados. Si bien el Inca participó en muchas de las acciones militares no pudo establecer una política de visitas continuas a los territorios ocupados. Era necesario un aparato administrativo que represente al gobernante durante las ceremonias importantes y a la vez que fiscalice las acciones de reciprocidad entre los jefes étnicos locales con el Estado.

Los cargos fueron designados a la nobleza cusqueña. Era importante que el linaje inca se institucionalice en la mayor parte de los territorios a pesar que muchos de los orejones participaron en conspiraciones e intrigas contra el gobernante. Al Inca solo le quedó confiar. Los cargos de mayor confianza recayeron en los hermanos del gobernante que asumieron el liderazgo en los territorios más extensos, además uno de ellos podía reemplazarlo durante su ausencia en la ciudad del Cusco. Otros cargos de confianza recayeron en los hijos conocidos como auquis, así estuvo vigente la relación de reciprocidad del Estado con un grupo étnico. Parece exagerada la cantidad de hijos que atribuyen los cronistas a determinados gobernantes, en algunos casos se habla de cientos. Sin embargo, es de suponer que muchos de ellos participaron en la administración de las provincias y regiones. Los cargos no fueron hereditarios, es por ello que, se describe a los funcionarios como temporales. La ceremonia de ascenso de un nuevo gobernante cusqueño suponía un cambio en las autoridades del Estado. La distribución de los funcionarios era iniciado con la designación de los integrantes de la panaca vigente y

CÕTADOR MAIOR I TEZORERO

TAVANTIN SVIO QVIPOC

CVRACA CONDOR CHAVA

con tador

con ta dor

luego se continuaba con los orejones de familias anteriores a la principal.

Los Apocunas o Cápac Apos fueron los representantes del gobernante en las regiones o Suyus. Eran designados por su inteligencia, sagacidad, valentía y prudencia, valores muy importantes en un Estado en proceso de articulación. La mayoría de sus funciones estuvieron relacionadas con acciones militares, como fue el caso de Túpac Yupanqui que nombró a su hermano y general Apo Achache como gobernador de la región del Chinchaysuyu. Existe poca información en documentos y quipus sobre estos importantes personajes, no queremos pensar que los incas evitaron mencionarlos por comodidad o por celos profesionales. Aunque se puede suponer la existencia mínima de un gobernador por región o suyu. Como durante el gobierno de Huayna Cápac que designó a sus hermanos Apo Ancha, Apo Chulanco, Apo Cuyuchi y Apo Hualpaya. Gozó de beneficios y propiedades como el Inca. Era cargado en andas y tenía varias mujeres como símbolo de riqueza y estatus social. Solo recibía órdenes del gobernante principal y estuvo obligado a participar en las celebraciones importantes de la ciudad cusqueña.

Otras autoridades regionales fueron los Tucricuts o representantes del Inca en las provincias llamadas guamanís. Eran designados entre los auquis y sobrinos del gobernante cusqueño. Algunos historiadores describieron que los hijos nacidos con problemas físicos en oídos, pies y manos, fueron los preferidos en la selección de estos cargos. ¿Y por qué ellos? Seguramente como una estrategia de hacer útiles a jóvenes de la nobleza. Estos asumieron diferentes funciones durante su permanencia por largas temporadas en las provincias encomendadas lo que les permitió gozar de mayor cercanía y control con las autoridades locales y con el propio pueblo.

Una de las funciones que cumplieron fue la administración de justicia y dar castigo a los individuos que atentasen contra el designio y voluntad del Inca. Los problemas eran ventilados en la plaza principal de la ciudad donde participaron los pobladores y los curacas locales. La gravedad del castigo era determinado por el tipo de delito y por la clase social del acusado. En casos de fuerte gravedad como un intento de insurgencia o asesinato a una autoridad se practicó la pena de muerte. Esta sentencia contó con el apoyo de los Quipucamayocs locales quienes participaban en la organización de la contabilidad de la provincia. Así el Estado estuvo enterado de la población que tributaba y los recursos que concentraba cada provincia estatal. Otras funciones fueron la supervisión de caminos y depósitos, la administración de la mano de obra local, la selección de las acllas, la organización de los matrimonios locales, etc.

El Inca dio la confianza a sus principales autoridades. Pero como todo político sabe que la confianza merece un límite, aunque sea a su propia familia. Era importante la comprobación de la lealtad y capacidad de los funcionarios, es por ello que durante el gobierno de Pachacútec se organizó el sistema de los inspectores del Estado, un tipo de funcionarios que fiscalizaron el trabajo de las autoridades mayores. Eran los Tokoyricoq, como las demás autoridades, los parientes más cercanos del Inca y entre los más influyentes dentro de la panaca cusqueña. Su residencia estaba situada en la ciudad principal, aunque esta fue temporal por la modalidad de trabajo que los obligó a trasladarse continuamente por los diferentes curacazgos y provincias del Estado. Y como representantes del Inca fueron tratados con todos los privilegios de un designado de dios; durante sus largos viajes eran llevados en andas, usaban vestimentas muy finas, poseían varias esposas, eran poseedores de grandes cantidades de tierras, etc. Es decir, tenían la vida de cualquier miembro de una nobleza occidental. Las funciones principales de los Tokoyricoq estuvieron relacionadas con aspectos de inspección, vigilancia y fiscalización de asuntos judiciales, religiosos y cuestiones económicas.

Existió una jerarquía entre los inspectores, por un lado el Tokoyricoq General del Estado, responsabilidad que asumía el hermano de mayor confianza del Inca, era así como el segundo hombre en el poder. Sus viajes eran tan prolongados que se podía distanciar de la ciudad del Cusco por meses. Entre los inspectores provinciales estuvieron los Cápac Ñam Tokoyricoqs que fueron los responsables de fiscalizar el mantenimiento de los caminos, así como el abastecimiento de los depósitos. Y los Chancay Camayocs que estuvieron a cargo de los curacas y la imposición de fuertes sanciones.

Dentro de la inspección judicial, los justicieros incaicos fueron los encargados de establecer las sanciones a las autoridades locales que no seguían los mandatos del Estado. Un curaca era sancionado si no cumplía con ciertas obligaciones como la entrega de tierras al Estado y al Inca, la entrega de acllas, mitayos y yanas, el abastecimiento de los depósitos incaicos, además si era el responsable de una insurrección o traición a cualquier autoridad representante del Estado. Las sanciones variaban unas de otras, pero la peor que podía sufrir un pueblo era la destitución de su curaca y a cambio la incorporación en el cargo de un yanacona del Inca. Muchos pueblos o curacazgos tuvieron que soportar la humillación de tener como máxima autoridad local a sirvientes del gobernante.

Además del curaca, el pueblo podía ser sancionado. A diferencia de algunas culturas occidentales que tuvieron un código que rigió el comportamiento individual y social de sus poblaciones, la sociedad incaica solo contó con algunos principios básicos que exigieron a sus integrantes el respeto mutuo y hacia sus autoridades. Como una sociedad clasista y machista las sanciones fueron diferentes según la clase social y el sexo del individuo. Es por ello que, el Tokoyricoq aprovechó su estancia en un territorio y comprobó el comportamiento de los tributarios del Inca. El delitos más común fue el incesto. Esta práctica estuvo permitida solo al Inca pero fue gravemente sancionada para el resto de la población. Los cronistas describieron el caso de dos primos que vivían en pareja. Cuando llegó el inspector fueron llevados a la plaza principal donde recibieron su castigo. Ambos fueron fuertemente azotados. Después al hombre se le rasuró el cabello y la mujer fue expulsada del pueblo. Una pregunta qué puede

DEL INGA
ANTACACA·ARAVAICAS

surgir es: ¿entre primos? La expresión primo o prima podría ser entendido, en este caso, como hermano o hermana. Otro delito común fue el adulterio, práctica solo permitida a la nobleza estatal. Se cuenta que si un hombre engañaba a su esposa con una mujer de su pueblo era azotado por los miembros de la familia de la esposa. Y en el caso de que al hombre se le encontrase en una situación incómoda con la esposa de un curaca o autoridad, el individuo tenía que esperar la muerte. Entre los casos más graves se contaban aquellos donde los miembros de un pueblo modificaban los límites o linderos de su territorio, el robo de animales o productos a sus vecinos. Muchos de estos delitos terminaron con la muerte de los sancionados.

También se practicó sanciones a los hatun runas que se encontraron fuera de sus ayllus. Por ejemplo, los soldados que durante sus viajes robasen la comida eran azotados hasta llevarlos a la muerte, o los generales que cometiesen abuso de autoridad frente a sus guerreros eran maltratados físicamente. Algunos documentos escritos por cronistas describen que el peor castigo fue la falta de respeto al Inca, siendo la sanción terrible. Los encontrados culpables eran llevados al centro de la plaza donde soportaban el rechazo popular y luego de ser azotados eran arrojados a pozos profundos que contenían serpientes o animales salvajes. Los castigos eran, en su mayoría, físicos y quizá no hubo sanciones económicas por el tipo de propiedad colectiva sobre la individual.

Es así que la administración cusqueña promovió un control y dominio de sus poblaciones a través de una fiscalización muchas veces represiva y sancionadora, una manera enérgica de mantener el dominio sobre territorios distantes y diferentes. Tampoco debemos comparar a los incas con sociedades que abusaron cruelmente de sus pobladores y de pueblos recién ocupados. Esta estrategia buscó simplemente promover la institucionalización del Estado incaico y el acceso a la fuerza del capital humano de la mayor parte de la población a su cargo.

El curaca y su poder local

Como hemos visto, la supremacía del Tahuantinsuyu sobre los Andes estuvo relacionado con la "generosidad" para establecer y reforzar obligaciones y lealtades entre el centro o Cusco y los grupos periféricos o territorios recién ocupados. En esta articulación promovida desde el Estado, las autoridades étnicas se convirtieron en el nexo directo entre los intereses estatales y la población tributaria.

Curaca proviene de la palabra quechua Curac que traducido al castellano significa el mayor o el jefe de su agrupación. Cuando llegaron los españoles generalizaron en los Andes el término Cacique, palabra proveniente de Centroamérica que describe igualmente a sus autoridades locales. Los estudios arqueológicos y documentales nos explican que estas autoridades existieron muchos siglos antes de la formación del Estado incaico. La historiadora María Rostworowsky sostiene que los incas no pudieron reaccionar negativamente frente a estos jefes locales más que por una cuestión política, por una tradición de la que ellos mismos formaban parte. Debemos recordar que la llegada de los primeros Taipicalas al valle de Acamama estuvo liderada por el curaca Manco Cápac. Es así que el Estado cusqueño respetó en un comienzo la autonomía y tradición de los curacazgos aliados, aceptando la designación interna de sus propias autoridades, costumbres y comportamientos económicos.

El curaca al igual que el Inca fue considerado una huaca. Muchos de los derechos y beneficios que exigió el gobernante cusqueño se debió a una intención de igualar las preferencias que disfrutaron las autoridades locales. Es por ello que se les permitió la posesión de varias esposas, la tenencia de las tierras más provechosas, la recolección de los mejores recursos, el trabajo gratuito de los hatun runas, etc. Sin embargo, dentro de la cosmovisión de los Andes, el derecho a ser considerado un dios era variable y temporal. Si el curaca no cumplía con los requerimientos de su población era sancionado y destituido.

El símbolo que caracterizó a estos gobernantes fue una tiana o duho que era un asiento de madera que alcanzó una altura máxima de veinte centímetros de alto. Se le entregaba en el momento que asumía el cargo y era trasladado en ella durante todas las ceremonias importantes. Al igual que las demás autoridades siempre era cargado en andas.

La sucesión de un curacazgo no fue hereditaria al comienzo, aunque fue una práctica común favorecer al hermano del fallecido, como manera de asegurar un tipo de linaje. Sin embargo es probable que los gobernantes incas hayan promovido en algunos curacazgos la sucesión de padre a hijo. Al parecer se motivó desde el Cusco la imposición de determinados jóvenes. Dentro de la relación de reciprocidad, el hijo mejor capacitado del curaca era trasladado a la capital estatal donde recibía educación y ponía en práctica la moral y el comportamiento cusqueño. Si el joven llegaba al poder no solo estaba preparado para su función, además podía inculcar costumbres y tradiciones cusqueñas a su pueblo.

En el Tahuantinsuyu muchos de los curacazgos importantes estuvieron divididos en dos mitades o parcialidades. El curaca Hanan disfrutó de mayores privilegios que el curaca Urin, que según la visión andina tomó una posición de subordinación hacia el sector principal. Actualmente, muchos investigadores han analizado ciertas provincias andinas donde el poder estuvo distribuido en tres parcialidades o secciones principales. Es así que podemos hablar en un futuro de la tripartición andina como modelo paralelo a la dualidad.

Los curacazgos eran divididos de acuerdo a categorías. En primer lugar estuvieron los llamados Señoríos o gobiernos Regionales cuya autoridad estuvo a cargo de los Jatun o Cápac curacas. Estos gobernantes fueron respetados y grandes aliados por los Incas. Entre los más importantes se encontraron el Cari de los Lupaca, el Chimor de los Chimú y el Chinchancaman de los Chincha. Luego estuvieron los curacas de las parcialidades o mitades de los gobiernos grandes. En tercer lugar, los curacas de las Guarangas o territorios de mediana extensión y por último los curacas de Pachacas o territorios pequeños. La extensión territorial no definía el grado de importancia del curaca, esta venía del grado de reciprocidad entre el gobernante étnico y el Estado. A mayores donaciones y reciprocidades el prestigio del curaca iba en continuo ascenso.

Sus funciones eran variadas. Entre las más importantes se encontró el deseo de proporcionar seguridad y bienestar a sus pobladores. Es por ello que organizó las uniones entre los jóvenes de su comunidad. El matrimonio era la ceremonia más esperada para la población común porque además del enlace convertía al hombre y a la mujer en seres con derechos y obligaciones ante su familia, la comunidad y el Estado. Es por ello que el curaca organizaba por temporadas fiestas donde solo era permitida la presencia de jóvenes solteros, que era una forma para que los participantes se conociesen e iniciasen la ansiada amistad. En otra ceremonia especial el curaca o el Tucricut ordenaba la salida de todos los jóvenes a la plaza principal y los distribuía en filas según el sexo. Si el enamoramiento había surgido, el muchacho se unía de manera rápida a la joven y si había algunos tímidos la autoridad se encargaba de unir a los futuros contrayentes. Claro, existía un periodo de prueba conocido como Sirvinacuy que permitía a la nueva pareja conocerse: Si funcionaba la relación llegaban al matrimonio y si no, el hombre devolvía a la joven a su familia. Durante la ceremonia las parejas recibían tierras en calidad de préstamos. Eran conocidas como tupus.

Otros grupos que disfrutaron de la seguridad de su jefe étnico fueron los niños huérfanos, viudas, lisiados, enfermos o cualquier persona que no podía defenderse por sí misma. Se puso en práctica el servicio de la minca que comprometió a la mayor parte de la población en el cuidado y resguardo de los cultivos de estos grupos conocidos comúnmente como huacchas. Además existía la posibilidad de que las mujeres solteras quedasen al cuidado de los niños, una forma de asegurar la maternidad para los menores y la posesión de recursos para las madres adoptivas.

Entre otras funciones el curaca debía organizar la limpieza de los canales de regadío, la colocación de piedras o mojones que establecían los límites entre los poblados, la construcción de puentes, caminos y depósitos para el pueblo, etc. Todas estas actividades estuvieron acompañadas de grandes banquetes y fiestas. Desde muy temprano los pobladores iniciaban su caminata hacia el punto de concentración. La música y la bebida los acompañaba. Participaban hombres, mujeres y niños. Iniciadas las faenas, hombres y mujeres trabajaban por el objetivo común. Mientras trabajaban se les proporcionaba chicha y comida. Terminadas sus labores, el curaca demostraba su agradecimiento con una gran comida y baile. La fiesta se prolongaba hasta muy tarde. Al final todos regresaban a sus hogares con la esperanza que pronto se les asignaría una nueva labor comunal. Esta práctica se mantuvo hasta comienzos del periodo Colonial. Muchas autoridades españolas entendieron el comportamiento de los mitayos andinos y aceptaron proporcionarles coca y chicha durante sus largas faenas. Con el transcurso del tiempo, esta práctica se fue reduciendo.

Algunos investigadores sospechan que la alianza entre el curaca y el Estado cusqueño no fue beneficioso para el primero porque muchos de los jefes étnicos vieron disminuidas sus funciones dentro a una sola organización del sistema de la mita. Es así que la distribución de las tierras, la organización de los matrimonios empezó a ser compartida entre el curaca y los funcionarios locales como el Tucricut y el Tokoyricoq. Se dice que en los últimos años del Tahuantinsuyu los funcionarios estatales asumieron la responsabilidad de los matrimonios comunitarios. Si fue así es comprensible el malestar de los jefes étnicos hacia el Estado y los intentos de separación y rompimiento de las alianzas políticas. Como mencionamos en un capítulo anterior, la llegada de los españoles se convirtió en una posibilidad de salvación para muchos grupos locales.

Sin embargo hay un aspecto importante que cabe señalar. Existieron mujeres curacas. Aunque no se habla de un largo matriarcado, en algunos curacazgos se permitió que la sucesión fuese entregada a una esposa o hija del líder anterior. Es por ello que en curacazgos pertenecientes a la región Chichaysuyu como los pueblos Tumpi, Huancavilca, Chonos y Carangue era común que las mujeres asumiesen el liderazgo entre la población local. Mérito aparte tuvieron las llamadas Capullanas, mujeres a cargo del curacazgo Tallán. Según la versión de los primeros españoles que llegaron a la región del actual departamento peruano de Piura, estos quedaron asombrados y enamorados de la belleza y personalidad de muchas de estas mujeres que no tuvieron contemplaciones en dar órdenes, así como establecer los castigos a los que convirtieron alguna ofensa.

Los cuatro suyus

La política incaica promovió un gobierno unificado y descentralista. A mediados del siglo XV, la ciudad del Cusco se convirtió en elemento articulador de las distintas regiones y provincias que conformaba el aparato estatal. El Tahuantinsuyu, "las cuatro partes unidas", incluyó a cuatro regiones políticas. El Chinchaysuyu (región Chincha) era considerado la región más importante del Estado. Se proyectó hacia el sector noroeste de la ciudad capital. Concentró en su territorio a la mayor cantidad de población tributaria, además que su hermosa geografía que comprendía parte de los andes centrales-norteños y territorio costeño ofrecía uno de los recursos más importantes del Estado. El mullu o concha de spondylus se encontraba en las aguas ecuatoriales y gozaba de enorme popularidad entre los habitantes de los Andes. El Antisuyu (región de los antis) se extendió hacia el norte y noreste del Cusco. Comprendió las laderas del centro y sur de los Andes y los extensos bosques de la región alta de la amazonia peruana. El Collasuyu (región de los Collas) era el territorio de mayor extensión del Estado. Se extendió por el lado sudeste del Cusco. Abarcó las tierras altas y planicies del actual territorio peruano, así como la parte central de Chile y el norte argentino. Finalmente, la región del Contisuyu, era la de menor extensión territorial y se extendió por el lado suroeste de la ciudad capital, lo que sería hoy los actuales departamentos sureños del territorio peruano.

La presencia del Estado estuvo representada en cada región por un Apocuna. Estos miembros de la familia cusqueña o provinciana asesoraban al gobernante y muchas veces participaban de los actos de reciprocidad entre el Inca y las autoridades locales. El ascenso al poder de un gobernante suponía la renovación de alianzas políticas. Es por ello, que los límites del Tahuantinsuyu y de sus regiones estuvieron en un constante movimiento. Si bien no podemos asegurar de la presencia de espacios fronterizos, los hallazgos arqueológicos abren pistas. Existe la posibilidad de que habitantes de una determinada región o provincia participase en peregrinaciones a su huaca principal. La arqueóloga Julien describe al nevado de Putina como límite entre las regiones del Condesuyu y de Collasuyu. Según las investigaciones realizadas, los hatun runas de ambas regiones participaron en peregrinaciones hacia el mismo nevado arequipeño. Así, las montañas, nevados, lagunas fueron espacios de separación entre pueblos y regiones. Otra expresión arqueológica que nos permite reconocer la extensión y ocupación de las fuerzas de los incas fue su impresionante red vial que hasta el día de hoy podemos admirar en varios países del sur americano.

Una verdadera obra de ingeniería. Esta red de caminos articuló a las distintas regiones o provincias con la ciudad capital. Permitió la expansión de la administración cusqueña a las nuevas provincias anexadas. Era transitada por el ejército, la burocracia estatal, curacas locales, mitayos, yanaconas, especialistas, etc. Eran tan necesarios que existió un plan articulado de viajes por temporadas y necesidades. Si bien, parte de esta red de caminos existió antes de la llegada de los incas, fueron remodelados y ampliados a partir del gobierno de Pachacútec. Las investigaciones del arqueólogo Jhon Hyslop han demostrado que no existió un patrón o modelo que siguieron en la construcción de la red vial. Dependía mucho del tipo de geografía y de la capacidad de tránsito. La construcción y mantenimiento de los caminos estuvo a cargo de los hatun runas a través del servicio obligatorio de la mita. Entonces, cada grupo étnico pudo esmerarse en tener cerca de su territorio el mejor tramo construido de la región.

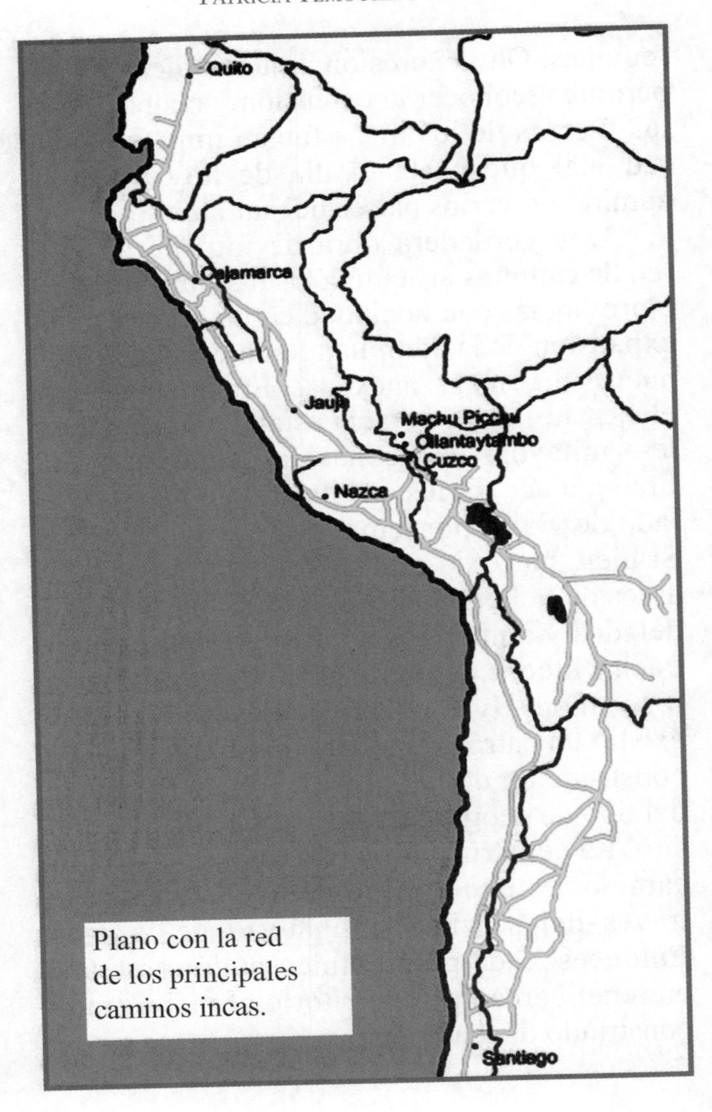

Plano con la red de los principales caminos incas.

La ruta más importante fue la de Cusco a Quito. Su largo recorrido fue el más transitado por los ejércitos y la burocracia del Estado. Debió exigir a los caminantes una excelente condición física. Las altas escalinatas, los grandes puentes colgantes y los largos tramos de caminos de piedra se mezclaban en el viaje de cualquier representante estatal. Imagino a cansados transeúntes deseando un poco de chicha y coca para convertir a su viaje en más placentero. Seguro que así ocurrió. Los tambos cumplieron esa función. Estos centros que concentraban a almacenes y residencias temporales estaban situados a un día de camino. De esa manera, estaba asegurada el bienestar de los tributarios y miembros del aparato estatal. Los arqueólogos nos hablan de pequeños caminos paralelos. Y es que cada Inca mandaba a construir pequeños tramos de caminos para su propio recorrido. Algunos suponen que el poder absoluto de los gobernantes incaicos los llevó a pensar en tener un camino de uso personal. Aunque también pudo ser una estrategia de seguridad ante un ataque de un grupo enemigo. En estos largos caminos que alcanzaron hasta 16 metros de ancho podemos ser observadores de grandes construcciones monumentales conocidos como centros administrativos. Estas grandes áreas concentraron a

Restos arquitectónicos
de Ingapirca en Ecuador.

residencias rectangulares temporales (Kallancas), depósitos de alimentos, vestido y armamento militar (Collcas), plazas ceremoniales, aclla huasis, etc. Fue una excelente estrategia desde el Cusco de hacer sentir su presencia en el Estado. Entre las construcciones más importantes podemos reconocer a Vilcashuaman (Cusco), Huanuco Pampa (Huánuco), Cajamarca y Tumebamba (Ecuador).

Existió además un camino de la costa. Se extendió desde el sur del Ecuador hasta el norte de Chile. La morfología costeña es impresionante. Hermosos valles se mezclan entre grandes desiertos. Es así que los tramos y construcciones eran variados. La creatividad del hombre andino del siglo XVI superó a las dificultades de la naturaleza. Se empleó grandes estocas de madera o piedras que eran colocadas en dos filas muy estrechas que no superaban los cuatro metros. Pobre el transeúnte que osase mover una de ellas. Era considerado un grave delito para la justicia de la época. Los documentos de los cronistas como Cieza de León nos describen caminos incaicos de recorrido colateral, que permitían el tránsito de la región de la sierra hacia pueblos de la costa. Estamos hablando de cortos caminos que cumplieron funciones de carácter específico. Trabajadores se trasladaron por la ruta de

Cusco a la ciudad de Chincha o especialistas mitayos utilizaron la ruta de Lurín (Lima) hacia la región de Jauja. La planificación que impuso el Estado permitió un mayor control de la masa tributaria y de los gobiernos locales. Así, el Tahuantinsuyu, con una extensión de más de dos millones de kilómetros, en menos de cien años de su formación había logrado algo imposible. Era el Estado más importante de esta parte del hemisferio.

5

Vida diaria

En los Andes, la relación del hombre con la tierra fue importante. Es comprensible que durante milenios el poblador tuviese que vencer y adaptarse poco a poco a espacios ecológicos con diversos relieves y microclimas. Debido a ello la tierra fue considerada uno de los recursos más valiosos y deseados por pequeños curacazgos o grandes provincias. El Tahuantinsuyu estableció una política de administración, ocupación y usufructo de las tierras siendo repartidas a favor del Inca, para el culto y, finalmente, para la propia comunidad. Sabemos ya que las tierras del Inca estuvieron distribuidas por todo el Tahuantinsuyu. En el momento en que un territorio se anexaba al Estado, el curaca aliado o vencido se comprometía como acto de reciprocidad a la entrega de una extensión de sus tierras. A cambio se le permitía permanecer en el cargo con sus mismos derechos y obligaciones. Estas áreas no fueron de posesión exclusiva del gobernante cusqueño porque se practicó una distribución interna. Las tierras fueron repartidas a favor del Estado, de la panaca y para el uso personal del Inca.

En primer lugar, las tierras estatales fueron empleadas para el cultivo de productos variados como el maíz y la coca, cuya producción era almacenada en los depósitos estatales. Su consumo estaba dirigido para la gran masa de trabajadores estatales como las autoridades administrativas, militares, chasquis, etc. Además estas tierras fueron utilizadas para el pastoreo de camélidos como llamas y alpacas. ¿Qué importancia tenían estos camélidos? Pues eran empleados como animales de carga durante las largas caminatas, además que su lana era distribuida por temporadas entre las tejedoras y acllas para la confección del vestuario de los servidores estatales; asimismo, su carne era muy preciada en la dieta alimenticia de los andes.

Los grupos de familias que en su conjunto formaban un ayllu eran las encargadas del cultivo y el pastoreo a través del servicio de la minka y, como hemos señalado, recibían comida y bebida del curaca como agradecimiento.

Las tierras de la panaca se localizaron muy cerca de la ciudad del Cusco. Para muchos investigadores fueron las áreas de mayor productividad agrícola y ganadera. Los familiares del Inca no podían dedicarse al cultivo y cosecha de sus tierras quizá por las grandes labores oficiales o por una condición de estatus. Es por ello que a partir del gobierno de Pachacútec se estableció el servicio de los yanas, una especie de sirvientes dedicados de manera exclusiva a la labor agrícola o de pastoreo en estas tierras. No se les puede describir como esclavos porque gozaron de ciertos derechos como la posesión de parcelas cercanas al lugar de sus labores. Existieron además las tierras de propiedad individual del Inca. Si bien existe poca información al respecto, se sabe ya que hubo grandes propiedades de carácter exclusivo de un solo gobernante. Por ejemplo, Pachacútec tuvo áreas en el propio valle de Urubamba, tierras conocidas como Pisac, Ollantaytambo, Machu Picchu. Las hermosas tierras de Chincheros fueron propiedad de Túpac Inca Yupanqui; y Huayna Cápac se

Imagen que corresponde a las ruinas de Pisac, que se encuentran ubicadas en la cima de los cerros. Hacia abajo puede apreciarse las características geográficas del valle.

adueñó de la región de Yucay que actualmente se localiza también en el Cusco.

El segundo caso fueron las tierras dedicadas al culto del Sol. Estas áreas estuvieron distribuidas muy cerca de las tierras del Estado. El cultivo fue empleado para las ofrendas y banquetes en fiestas de carácter religioso. Es por ello que uno de los productos más cultivados fue el maíz que era necesario para la elaboración de la chicha fermentada. Como hemos estado diciendo, una fiesta sin chicha no era una fiesta. Existen muchas posibilidades de que las tierras hayan sido trabajadas por hombres y mujeres por separado. Nos referimos a los hatun runas que cumplieron el servicio de las mitas, los yanaconas y las acllas (sí, esas mujeres concentradas en casas especiales). Cuando era necesario mayor mano de obra se recurría a los diferentes sectores sociales. Además la producción agrícola era distribuida para el consumo de los sacerdotes y acllas estatales.

Finalmente, el tercer caso está relacionado con las tierras de la comunidad. Aquí es importante rescatar la importancia del matrimonio dentro del curacazgo. El curaca, en un comienzo y, después, el Tucricut, organizaba los matrimonios de carácter masivo. Además, de la fiesta y banquete, las parejas de recién casados recibían tierras.

Es preciso recalcar que el matrimonio era el requisito indispensable para que un hombre y mujer tuviesen derechos y obligaciones. La mayoría de los investigadores han llamado a estas tierras como "tupus", de los cuales el hombre recibía el doble de extensión que la mujer. No se puede hablar sobre un tipo de área uniforme porque había variaciones. Se respetó mucho el tipo de tierra y su capacidad de cultivo. Así, los tupus que se localizaron en los valles costeños y andinos de mediana altura fueron más pequeños que los localizados a mayor altura y con mayor dificultad para el cultivo y pastoreo. De esa manera, se buscó cierta equidad entre las diversas poblaciones. Además, la familia de recién casados no mantenía por siempre la misma cantidad de tierras. Esta variaba. Asimismo, el nacimiento de un niño era bendecido con la entrega por parte de la colectividad de una porción de tupu. Sin embargo, es muy probable que se haya reducido la pertenencia de los abuelos. No se puede hablar de una entrega de tierras de manera perpetua, sino de un uso temporal y medido. Cuando la pareja de esposos moría sus tierras eran devueltas a la comunidad. De ese modo, era respetado el derecho de las nuevas parejas recién casadas.

La colectividad empleó diversas técnicas para el aprovechamiento de las tierras. Una de ellas fue la edificación de andenes. Eran terrazas agrícolas localizadas en las laderas de los cerros y que estuvieron niveladas por pendientes o muros. Era necesaria la remoción de grandes cantidades de piedras que actuaron como soportes de cada terraza o escalinata. Además, fue imprescindible la construcción de canales de regadío para llevar el agua a lugares de mucha altura y distantes. La finalidad de esta impresionante obra de ingeniería andina era evitar la erosión de los cerros, así como el cultivo de diferentes productos por terraza. De esa manera, un curacazgo podía obtener diferentes productos en beneficio de su colectividad. Asimismo, en los lugares de mayor altura se establecieron las cochas que actuaron como pozos de gran profundidad donde se almacenaba el agua para los cultivos. Era necesario el cambio de agua de manera diaria para poder mantener a salvo los cultivos.

Otra técnica importante fue la construcción de collcas. Eran depósitos de almacenamiento de alimentos como el maíz, papas (patatas) o carne. No podemos olvidar que la naturaleza les jugaba malas pasadas a los pobladores de

DEPOCITO DEL INGA

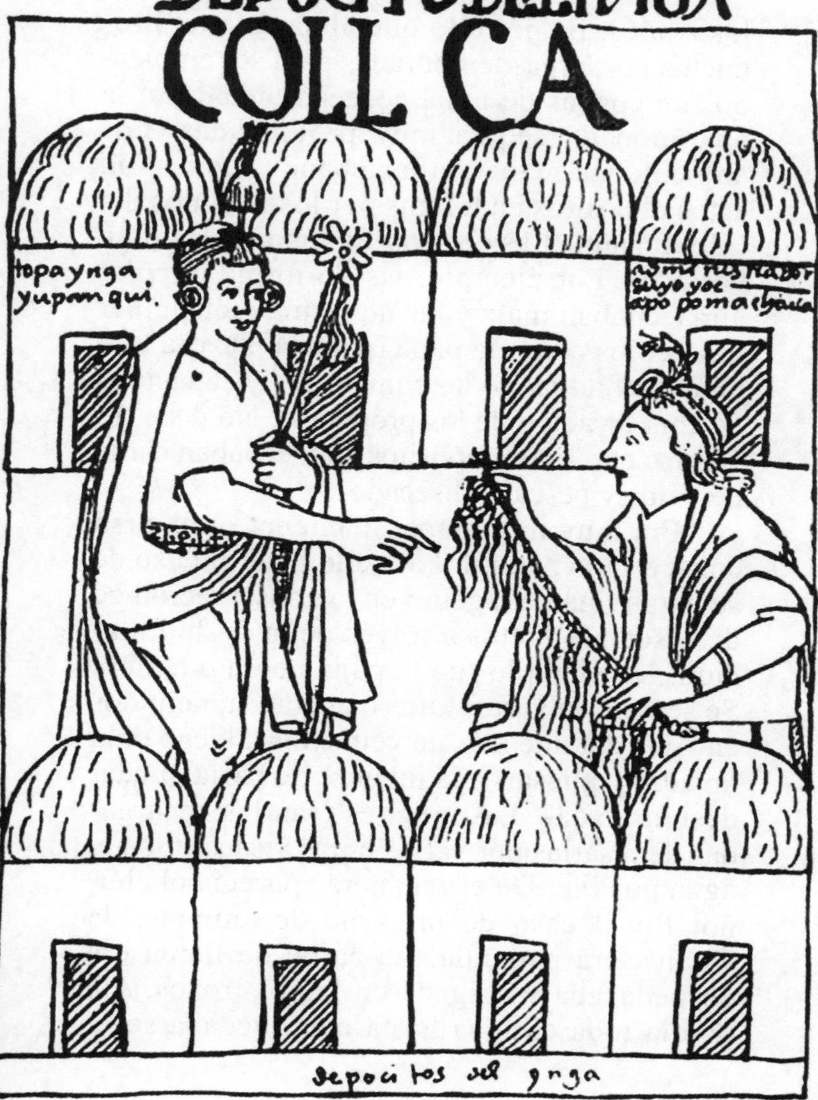

como

los Andes. Es por ello que almacenaron productos por largas temporadas para ser empleados en épocas de mala cosecha, heladas o la aparición de sequía muy prolongadas. Los arqueólogos se maravillan cuando encuentran estos depósitos en hileras por los caminos del Cápac Ñam. Las formas de las collcas eran variadas. Por ejemplo, las de forma circular almacenaban maíz y las de forma rectangular tubérculos como la papa (patata). De esa manera se condicionó la temperatura y capacidad de conservación de los productos. No debe olvidarse que estos depósitos almacenaban carne de llama y pescado disecado.

Era muy importante mantener el recurso en su estado natural. Para ello hicieron uso de su creatividad e ingenio en la conservación de diversos productos a través de la deshidratación. Un ejemplo fue la papa negra o chuño. Se separaban varios kilos que eran sumergidos en agua durante más de veinte días, luego eran lavadas y puestas a la intemperie hasta quedar deshidratadas. Las mujeres eran las encargadas de pisarlas por varias horas y sacar toda el agua posible. De esa manera aparecía el chuño. En el caso de la carne de animales la técnica era parecida. La carne de llama era despedazada y colgada en largos trozos. Así perdía toda el agua hasta que quedaba seca.

TRAVAXO
ZARA CALLCHAI ARCVI PA

mayo - hatun cusqui

mayo

Era conocida como charqui. Hasta el día de hoy es común en países de Ecuador, Perú y Bolivia el consumo de carne deshidratada que es muy apreciada por su valor nutritivo y por su calidad culinaria. La misma técnica era empleada con la carne de pescado que era secada de manera natural y conservada para trasladarla a lugares tan distantes como las altas punas.

Otra herramienta fundamental fue la chaquitaclla. Era un tipo de arado de madera de más de dos metros de alto y en su punta tenía base de metal. Servía para definir los surcos y el levantamiento de las tierras. Era necesario el empleo de varias de estas herramientas de acuerdo al tipo de suelo y las alturas donde se encontraba.

Con esto y las otras técincas descritas, se abastecía de alimentos a la población. Y si bien no existen pruebas sobre el tipo de dietas empleadas por los pobladores del Tahuantinsuyu se sabe que sus cultivos fueron muy variados: tubérculos como la patata, el olluco, la oca, la mashua, el camote; raíces como la yuca; legumbres como el fríjol, el pallar, el maní (cacahuate); frutos como el tomate andino y frutas como la chirimoya, el pacae, la lúcuma, etc.

Finalmente, existió un tipo de tierras que perteneció a toda la colectividad. Fueron las salinas. Eran grandes extensiones de sal que podían ser usadas por los miembros de los curacazgos con plena libertad. Es por ello que el ají y la sal fueron los condimentos especiales de la comida andina.

Festividades y calendario

La fiesta es siempre el alma de un pueblo. No existe sociedad que no evidencie su carácter y personalidad a través de sus celebraciones o rituales. En ella, las alegrías, triunfos y deseos se trasmiten a través de danzas, cánticos, dramatizaciones, etc. El cronista Juan de Betanzos señaló que durante el gobierno del inca Pachacútec se estableció un calendario de doce meses con treinta días y señaló las fiestas y sacrificios que cada mes se debían de realizar. El calendario astronómico se organizó de acuerdo a los solsticios de verano e invierno y los cambios de la luna. Los primeros investigadores de la cultura incaica, los cronistas, buscaron establecer una comparación entre el calendario andino y el occidental cristiano. Sin embargo ahora podemos reconocer doce celebraciones que coincidieron con los meses lunares.

Durante el primer mes se celebró la fiesta inca más importante del año, el Cápac Raymi que coincidió con el inicio de los días más largos del año. Esta fiesta incluyó una serie de rituales practicados por los jóvenes varones de la nobleza y de los ayllus andinos como medio para convertirse en adultos. Estamos hablando del Huarachicuy. Según los documentos la ceremonia se prolongaba por más de veinte días de exigencias físicas y mentales. ¿A qué pruebas nos estamos refiriendo? De todo tipo. Por ejemplo, se obligaba a los jóvenes, entre los doce y catorce años, a que demostrasen que podían soportar el hambre y la sed en momentos difíciles, es por ello que el ayuno debía durar algunos días. Además debían soportar largos insomnios que se prolongaban entre diez y doce días. Faltaban las pruebas físicas. Una de las más practicadas era demostrar su capacidad de resistencia y velocidad. Eran obligados a correr como grandes atletas la distancia desde el cerro Huanacauri a la entrada de la ciudad cusqueña como una forma de recordar la llegada de los míticos hermanos Ayar. Finalmente, los que pasaban llegaban a la prueba de resistencia a través de contiendas. Los jóvenes recibían como armas las porras y macanas e iniciaban una lucha cuerpo a cuerpo simulando un enfrentamiento militar.

Si bien no hubo grandes heridos, la ceremonia terminaba con jóvenes victoriosos. Los hijos de la nobleza recibían las felicitaciones de los presentes y aceptaban con agrado la deformación de los lóbulos de sus orejas. Se convertían así en los futuros orejones. Los jóvenes del pueblo participaban en las fiestas a su nombre y eran considerados los futuros adultos de su grupo. Esta fiesta se realizaba en todas la provincias del Estado y según lo investigado por la historiadora Catherine Julien, cuando el Inca no se encontraba en la ciudad capital, exigía que la fiesta se practicase donde estuviese con las mismas características y costumbres que en el Cusco.

Otra celebración importante fue el Inti Raymi. Los Incas consideraron al sol como su padre y durante el gobierno de Pachacútec se institucionalizó la veneración de este dios. Esta fiesta era llamada por distintos nombres, siendo las más comunes "festividad del sol" o "cultivo de los guerreros". Se iniciaba el 24 de junio, fecha que coincidía con el solsticio de invierno y se prolongaba por quince a treinta días. Tres días antes de iniciarse la ceremonia oficial, los hombres comenzaban a ayunar. No comían sal ni ají; solo se alimentaban de maíz blanco. Las mujeres preparaban comidas y bebidas como la chicha de jora, mientras que los sacerdotes principales escogían las llamas destinadas al sacrificio y así llegaban a la ciudad del Cusco.

La ceremonia se iniciaba al amanecer. Las calles lucían repletas de gente. Los miembros de la nobleza y el Inca se trasladaban al templo del Coricancha donde debían rendir culto al dios solar. Luego se dirigían al lugar del culto y presenciaban los sacrificios de cientos de camélidos que eran entregados por los sacerdotes secundarios y el Villac Umu al dios sol. Posteriormente la comitiva se trasladaba a la plaza principal conocida como Huacaypata. En las calles principales se formaban largas filas de miembros de la nobleza cusqueña y provinciana que iban vestidos con los mejores trajes para la gran ceremonia. En la plaza, el Inca se colocaba en el centro y ante la mirada de los espectadores levantaba un quero (vaso ceremonial) repleto de chicha. Luego arrojaba el líquido a cuatro direcciones como si fuera a los cuatro suyus. Daban inicio los cánticos acompañados de las acllas que danzaban y cantaban al son de la alegría de los visitantes que no dejaban de tomar y cantar. Se desbordaba una algarabía entre los participantes. Al atardecer, los jóvenes continuaban la danza

Recreación del Inti Raymi
que se celebra todos
los años en el Cusco.

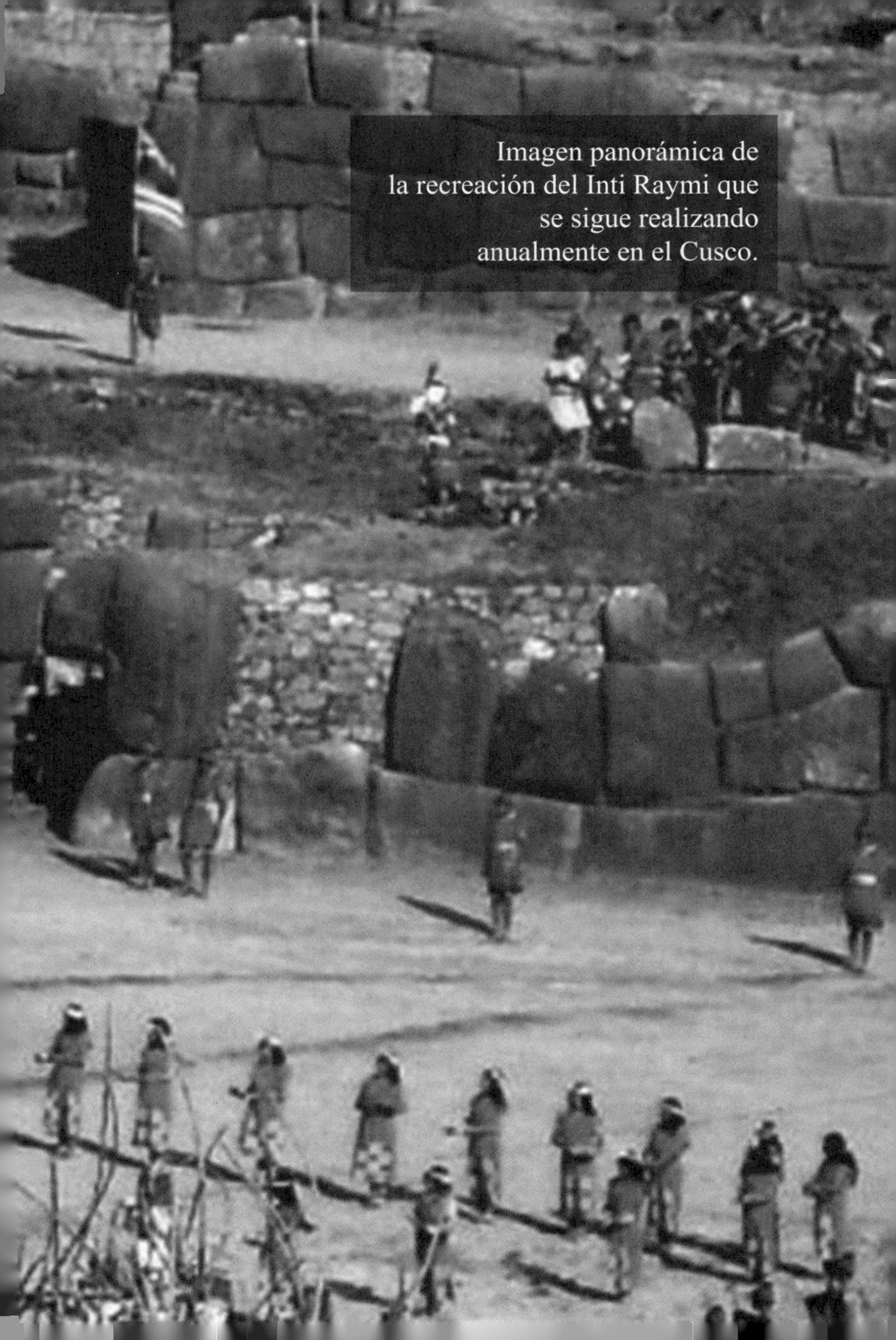

Imagen panorámica de la recreación del Inti Raymi que se sigue realizando anualmente en el Cusco.

siguiendo una gran soga que cubría el perímetro de la plaza. Parte del ritual se continuaba durante los siguientes días y en los diferentes lugares del Estado cumplían con los requisitos de ayuno y abstinencia por parte de sus pobladores locales.

Otras dos fiestas gozaron de cierta importancia. La ceremonia de la Coya Raymi (equinoccio de primavera) se celebraba durante el mes de septiembre y rendía culto a la esposa principal del Inca. Coincidió con la siembra del maíz sagrado y el rito de la purificación frente a las enfermedades. Se iniciaba el 22 de septiembre e incluía la participación de todo el pueblo. En pleno ritual, los pobladores de la ciudad simulaban que se golpeaban unos contra otros y tiraban contra las puertas de sus casas los telares de sus familiares como forma de alejar las enfermedades. Unos cuatrocientos guerreros que representaban a los cuatro suyus se retiraban a las afueras de la ciudad y arrojaban las cenizas de sacrificio como forma de liberación.

La otra fiesta llamada Ayar Raymi rendía culto a los antepasados del pueblo. Durante los rituales que se realizaban en el mes de noviembre, los ayllus sacaban los cuerpos de sus parientes y los hacían participar del cántico y danzas del pueblo. La momia tenía que estar muy bien presentada. Para ello, la vestían y calzaban con las mejores prendas y lo paseaban por las viviendas de vecinos y parientes. Después de tanta algarabía el cuerpo inerte era guardado y esperaba paciente hasta el siguiente año.

Contabilidad andina

Es sorprendente que una sociedad que no conoció la escritura pudiese alcanzar un desarrollo administrativo hasta hoy envidiable. El Estado inca tuvo la sapiencia no solo de contar con un aparato eficiente sino además de poder organizar a una enorme masa humana de acuerdo a los requerimientos tributarios. Fue muy importante el pago de productos y el reclutamiento de trabajadores. Se calcula que a la llegada de los españoles, el Tahuantinsuyu contaba con una población de ocho a doce millones de habitantes. Si esto fue así y no se contaba con escritura conocida, entonces, ¿cómo se pudo controlar a tanta gente? No debe olvidarse que estamos hablando de un Estado en formación permanente que concentraba grupos aliados y rebeldes. Más de cientos de grandes naciones diseminadas en cientos de provincias. Para ello, se reordenó la población autóctona y los colonos a través del sistema decimal. Las familias nucleares eran organizadas en grupos de diez (chunca), cincuenta (pisca chunca), cien (pachaca), mil (huaranca), diez mil (huno) y de todas las formas que la distribución lo permitía. Era una manera muy simple, cómoda y didáctica de contar. Cada grupo estaba bajo la responsabilidad de un Camayoc, un curaca especializado cuya posición social se diferenciaba a través del grupo que podía representar. El jefe de mil familias llamado Huno Camayoc disfrutaba de mayores privilegios porque su nivel de reciprocidad era más amplio que el de otros. Aunque algunas autoridades organizaban la distribución de la población, la mayoría tenía el apoyo de contadores que participaban en los censos locales y plasmaban su valiosa información en instrumentos hechos por cuerdas y nudos: el quipu.

El quipu era un sistema mnemotécnico y no fue una creación de los cusqueños. Los últimos hallazgos arqueológicos hablan de la existencia de estas cuerdas desde hace más de cuatro mil años, pues hay vestigios encontrados en la ciudadela de Caral. La creatividad del hombre de los Andes permitió que alcanzase un excelente perfeccionamiento. Para el siglo XVI, este sistema constaba de un cordel horizontal (algodón o lana) del cual caían varias cuerdas delgadas trenzadas. Estas eran de

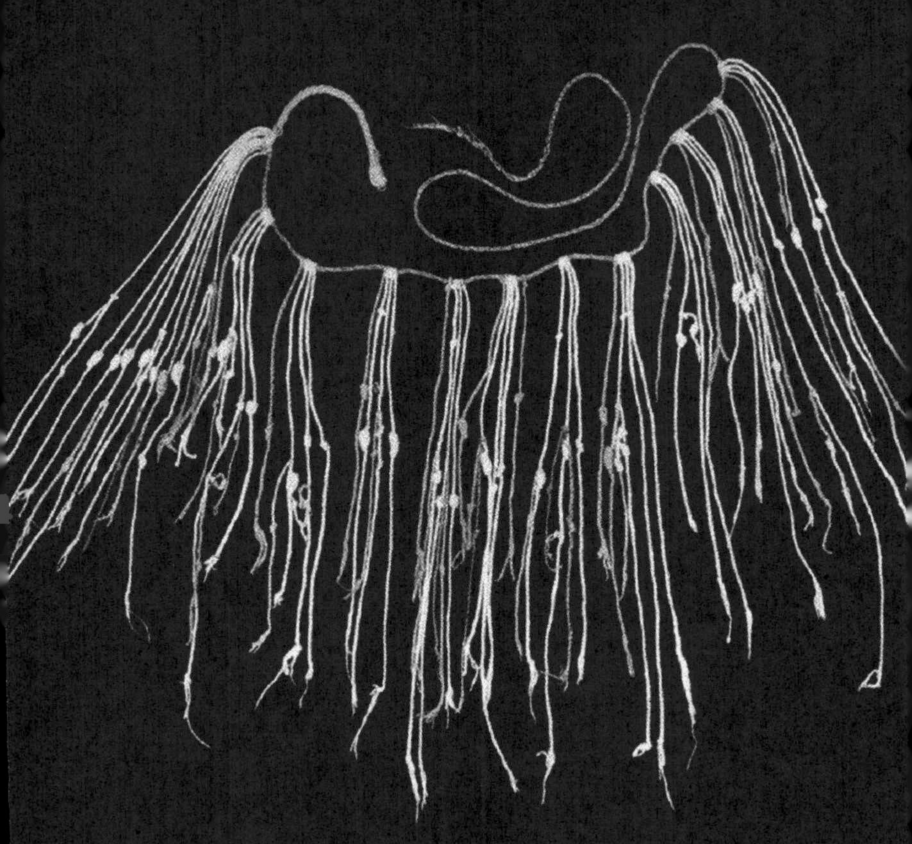

El quipu como ya se ha dicho, era un sistema mnemotécnico y no fue una creación de los incas. Los últimos hallazgos arqueológicos hablan de su existencia desde hace más de cuatro mil años encontrados en la ciudadela de Caral.

diferentes tamaños y en ellas se habían ejecutado grupos de nudos situados a espacios distintos. Cada cuerda vertical estaba dividida en zonas y de acuerdo a la altura en la cuerda, la zona representaba unidades, decenas, centenas, etc. Por ejemplo, para representar el número 507, la cuerda llevaba 7 nudos en el extremo inferior, dejaba la zona inmediata superior sin nudos y la superior a esta, con cinco nudos.

Los colores representaban diferentes categorías de productos tales como animales domésticos, plantas, animales salvajes, oro, plata, ceramios, sandalias, etc.; de cantidades demográficas sobre nacimientos, defunciones, matrimonios, etc., y ¿qué podía ocurrir en situaciones de improviso como el de mujeres que pasaban a condición de viudas? En estos casos se lograba añadir cuerdas adicionales. Pero, además, los colores variaban según las provincias. Por ejemplo, si en el Cusco el color amarillo representaba el oro, el blanco la plata o el rojo la guerra, en Arequipa, Collagua o Chachapoyas dichos colores indicarían productos totalmente diferentes.

La interpretación de estos instrumentos se convirtió en un verdadero misterio. Cada provincia contó con un especialista o Quipu camayoc, cuya eficiencia lo llevó al extremo de memorizar categorías, colores y cantidades que registraba las cuerdas. Estos contadores eran requeridos en otros espacios como en los tambos, depósitos o collcas, ejércitos, etc. Además, el Inca contó con el servicio de estos funcionarios. Se cuenta que la máxima autoridad del Tahuantinsuyu se rodeaba de cuatro ancianos que guardaban en sus cuerdas información valiosa y confidencial. Sería un registro de carácter histórico. Las grandes campañas militares, las alianzas políticas, los hermosos rituales fueron guardados por estos ancianos, pero ¿se habrán animado a almacenar información que atentase contra el ego de su Inca?, parece que no. El engreimiento y envidia de muchos gobernantes los llevó a exigir que se adultere información, borrando de la memoria colectiva a hechos y personajes anónimos. En la actualidad, cuando observo el código de barras en un producto que luego será grabado por una máquina registradora, imagino cierto parecido con las líneas y tamaños de las cuerdas de los quipus. Mera coincidencia o algo más.

Un instrumento que causó admiración a la llegada de los hispanos fue la Yupana. Una calculadora del siglo XVI. Un verdadero instrumento matemático. Los dibujos dejados por el cronista Guaman Poma de Ayala nos permite mejor describirlas. Eran tableros rectangulares que podían ser de piedra tallada o de simple barro. Su distribución era en casilleros que correspondían a determinadas cantidades según el sistema decimal. La persona que lo empleaba utilizaba granos de maíz o quinua, así como piedras para realizar las cuentas. Así se iniciaba la operación, moviendo en cada casillero las cantidades. Es increíble que en estos tableros se hayan podido realizar operaciones desde la suma hasta la división de una forma perfecta. Los Yupana camayocs eran los encargados en cada provincia del uso de estos instrumentos y su capacidad para hacer cálculos de cantidades veloces eran impresionantes. Causó tanta admiración que los propios españoles quisieron aprender a usar estas máquinas novedosas para el uso occidental.

EL CICLO BIOLÓGICO Y EL TRABAJO

Si un curioso y animado español del siglo XVI hubiese preguntado a una atractiva indígena por su edad es muy seguro que no hubiese obtenido respuesta. Y habría sido así no por un simple acto de vanidad femenina o cosa similar, sino porque la chica no habría podido entender la pregunta. Y es que en el mundo andino no existió nunca una definición de la

Interpretación en piedra de cómo habría sido una Yupana.
Su apariencia fue sugerida por los dibujos de Guamán Poma.
En la página 141 de este libro pueden apreciarse tanto el quipu, en las manos del Quipucamayoc, y la Yupana en la parte inferior izquierda, en forma de un tablero cuadriculado.

edad cronológica. El ciclo biológico de cada poblador estaba definido de acuerdo a su fuerza física y habilidad para el trabajo. Así, los grupos de edades fueron definidos por varias categorías en el ciclo biológico de un hombre o mujer de los Andes.

La primera categoría o grupo de edad era la de los Auca camayoc donde se encontraban los varones y mujeres (Auca camayoc huarmi) con la mayor capacidad física y fortaleza para el trabajo. Asumieron diversas funciones agrícolas, guerreras, mineras, etc. Este ciclo de edad era considerado el más importante y pudo concentrar a trabajadores entre los 25 a 50 años. La segunda categoría comprendió a los hombres llamados Puric machus dedicados a labores de limpieza, cuidado de casas, porteros y estaban comprendidos los que tenían entre 50 a 80 años. Las mujeres conocidas como Payac cuna se dedicaban a las mismas labores. El tercer grupo de edad integró a los llamados Rocto machus (varones) y Puño paya (mujeres) que eran pobladores mayores de 80 años y que por su avanzada edad se dedicaban a labores muy sencillas como el de porteros de aclla huasis, criadores de animales pequeños o simples contadores de historias. La cuarta categoría comprendió a los pobladores de cualquier edad que tuviesen algún problema físico o mental que no les permitiera asumir ciertas responsabilidades en su ayllu.

La quinta categoría comprendió a los jóvenes entre los 18 a 25 años, los varones (Sayapayac). Se dedicaban a labores de chasquis, guerreros, mitayos y las mujeres (Zuma cipas) a labores propias de las acllas.

La siguiente división comprendió a los más jóvenes: entre los 12 a 18 años. Los muchachos eran llamados Mactacunas y se dedicaban a labores más sencillas como la caza de aves, disecación de carne, participación en las actividades comunales y las jóvenes apoyaban a sus padres en las labores domésticas.

La séptima categoría incluyó a los niños entre los 9 a 12 años. Los varones (Tocllayoc huarnacuna) asumían labores muy simples como la caza de aves y hacer mandados en su pueblo. Las niñas (Paguac pallac) se dedicaban a recoger las aves cazadas y al cultivo de plantas medicinales.

Otras categorías fueron la de los Pucllacoc huaracuna que incluyó a los niños de 5 a 9 años de edad, otros, los Llullollocac, donde se encontraban los niños comprendidos entre 1 a 5 años. Finalmente la última categoría incluyó a los llamados guagas que eran los recién nacidos hasta la edad de un año. Eran los verdaderos dependientes del Estado.

Esta distribución de grupos de edades no pudo ser entendida por un español recién llegado a los Andes. Sin embargo, si el mismo hispano curioso hiciera el esfuerzo de reconstruir la historia de la joven hubiese podido entender el estilo de vida de ella y de la sociedad incaica en general. Claro, se hubiera encontrado con algunas sorpresas. Por ejemplo que la llegada de un nuevo niño era tomado con mucha tranquilidad en los Andes. Era muy común que los embarazos se tomaran de la manera más cotidiana. Así, en el momento crucial, la mujer que se encontraba laborando se dirigía a las aguas de un río cercano y sin mucho problema daba a luz. Luego continuaba con su trabajo. Era una sutil manera de no encariñarse con la criatura ante la posibilidad que muera al poco tiempo. Si nacía con suerte, participaba a la edad de dos años de la ceremonia del Rutuchicay. Era la fiesta del corte de pelo y donde aprovechaban los padres y padrinos en darle su primer nombre. Siendo niño se dedicaba a jugar y a aprender las labores domésticas de sus padres. Situación muy diferente a los niños de la nobleza estatal que asistían a los llamados Yachay huasis, especies de centros donde se impartía talleres de historia oral, manejo de quipus, uso de armas, etc.

Durante la etapa de adolescencia compartía con otros jóvenes de algunos rituales. Las adolescentes asistían a la ceremonia de inicio de la menstruación llamada Quiquchicay después de haber cumplido con el ritual del ayuno por tres días para luego alimentarse con maíz blanco. Aunque el esfuerzo valía la pena. En sus hogares recibían la visita de familiares y amigas que llegaban con buenos augurios y regalos. Los varones participaron en los rituales del Huarachicuy que se desarrollaba durante las ceremonias del Cápac Raymi Se realizaba en diferentes puntos de las provincias estatales. Una forma de preparar a los futuros hatun runas en acciones de guerra y servicio.

El matrimonio era una ceremonia masiva. Los jóvenes se esmeraban en llegar rápido a la vida de pareja. Y es que, como ya se ha visto, el matrimonio daba estatus. Es por ello que los padres no ponían muchas trabas durante los cortejos entre la futura pareja. Una práctica previa, que ya se mencionó antes, era el sirvinacuy, forma andina de convivencia. La pareja vivía junta durante un periodo de seis meses donde demostraba sus cualidades y defectos. Si era satisfactoria la vida en común aceptaban convertirse en esposos. En el caso contrario, esperaban pacientes una nueva relación. Existía la pedida de mano. El joven colocaba una sandalia en el pie de su amada. Si la prometida era virgen la sandalia era de lana y si no lo era el material empleado era el uchu y quedaban comprometidos. Los hijos dentro del matrimonio aseguraban un beneficio social y económico. Convertía a una familia en rica. Estamos ante un nuevo vínculo. El ayllu es el vínculo consanguíneo entre los miembros de una familia. Un vínculo muy diferente al actual. Las hijas seguían la línea matrilineal y los hijos la línea paterna. Esto provocó un sistema complejo de parentesco. Veamos un ejemplo. El padre llamaba a su hijo churi y a su hija ususi. En cambio la madre a ambos los llamaba wawa. Entre los hermanos los lazos eran variables. Los varones se llamaban wawqa y entre hermanas se conocían como ñañas. Sin embargo, las cosas se complican con otros familiares. El hijo llamaba al hermano de su padre con el mismo nombre de su progenitor, yaya, a igual que las mujeres llamaban a las hermanas de su madre con el mismo nombre que a ella, o sea mama. Sin necesidad de confundir, puedo decir que estos lazos familiares llegaban hasta un cuarto grado en una familia de carácter extenso.

La vida de hogar ocurría a menudo en el campo. Se promovía el respeto a la pacarisca y a las costumbres de la etnia. Los ancianos eran los encargados de acercar a los jóvenes a sus tradiciones. Se vivía un ambiente de fiesta.

Asimismo, la festividades eran, como se ha comentado antes, muy importantes. La música y danza estuvieron presentes en las ceremonias importantes. Ni olvidar los grandes banquetes que se organizaban después de una buena cosecha, de la construcción de una obra, de una victoria militar. Cualquier ocasión era importante para celebrar.

Aunque no en el momento de la muerte. Si bien era entendida como el paso a otra vida, igualmente causaba dolor. Los funerales se prolongaban por varios días. El ayuno y la velación de las ropas y utensilios del difunto se prolongaban por más de una semana. Antes de ser enterrado, el difunto visitaba los diferentes lugares que en vida le eran cercanos. Luego de enterrado el cuerpo, el duelo se prolongaba por algunos días. Aunque no se han encontrado cementerios en las principales provincias estatales suponemos que los llamados mallquis eran desenterrados en alguna ceremonia especial o para una consulta por parte de su grupo. Y es que, como ya hemos dicho en otras ocasiones, en la sociedad de los Andes, el mundo de los vivos coexistía con el de los muertos.

Hatun runas, mitmas y yanas

¿Qué hace que una civilización trascienda en el tiempo? Las razones pueden ser diversas y a la vez determinantes. No es sola una cuestión del azar. Los incas tuvieron la capacidad de articular a diferentes etnias que aportaron no solo territorio, costumbres y donaciones, sino la base de todo el Estado, el factor humano. La población andina antes de la llegada de los españoles era en su mayoría campesina. Se calcula que casi el 95% de la población residía en el campo. Dentro de la masa, los hatun runas eran considerados la fuerza laboral y soporte del Tahuantinsuyu. Ellos asumieron el costo económico del Estado.

Su condición de cabeza de familia convirtió a los llamados "hombres grandes" en los grandes tributarios. Comprendía a los hombres entre los 25 y 50, en el mejor momento de su capacidad física y reproductiva. Por ello el aparato estatal les retribuía a través de la entrega de tierras, productos y favores exclusivos. Además sentían la seguridad de que en su etapa de vejez, su etnia y el Estado no los abandonarían. Es por ello que era común que participasen en esta política de concesión de favores. Sin embargo, siempre existen los anárquicos o disconformes de la historia. Muchos grupos de hatun runas al mostrarse reacios estuvieron en la mira del Estado. Entonces, surge la interrogante ¿qué acciones tomaba la administración para evitar el descontrol o neutralización de los grupos?

La política de colonización constituyó uno de los medios para ejercer el control individual. Los mitmas eran poblaciones extraídas de su lugar de origen y llevadas a nuevos territorios ocupados con la finalidad de repoblarlos. Esta institución no era una creación incaica. Los arqueólogos sostienen que esta práctica era común en culturas tradicionales localizadas en territorios de altura y que la ocupación de colonización de tierras bajas respondió en un comienzo a una necesidad económica como ocurrió con los reinos altiplánicos. En el caso de los incas, el gobierno de Pachacútec institucionalizó esta modalidad y a partir de su hijo Túpac Inca Yupanqui esta política se generalizó a la mayor cantidad de provincias estatales. Las cosas estaban cambiando. ¿Quiénes fueron los primeros en ser removidos de sus tierras? Suponemos que los grupos de ayllus que residían en el Cusco. La ciudad cada vez se convertía en propiedad exclusiva de la panacas. Se inició una remoción a diferentes lugares estratégicos.

Cada grupo llevaba no solo sus costumbres y tradiciones sino además dos instrumentos importantes en la política de dominación de tierras: el idioma quechua y la religión. Claro, también la visión administrativa inca. Pero volvamos a sus costumbres. Los grupos de colonizadores se trasladaban con todo. Llevaban sus ídolos o huacas, semillas, animales domésticos, etc. Al extremo que resembraban parte de su tierra de origen en la nueva zona. Se presentaban como residentes de su tierra originaria y cuando morían, si la situación lo permitía iban a descansar sus cuerpos a su terruño original. Es una forma distinta de entender nuestros orígenes. Si un visitador le hubiese preguntado a un lugareño ¿de dónde eres?, él respondería: del pueblo de mis antepasados.

Las funciones que cumplieron eran diversas, aunque la económica seguía siendo la más importante. Muchos grupos eran trasladados a tierras recién incorporadas al Estado con la intención de imponer el cultivo de maíz como actividad principal. ¡Era tan necesario para los banquetes y fiestas! Ocurrió durante el gobierno de Huayna Cápac que ordenó el retiro de la población de Cochabamba (Bolivia). Colocó a cambio a una población aproximada de catorce mil mitimaes campesinos procedentes de las tierras altas. Situación parecida ocurrió en los valles de Arequipa a donde fueron trasladados cientos de familias procedentes de la región de los condesuyus.

Los mitimaes cumplieron otras funciones importantes también en la política. Cientos de familias fueron trasladados a los lugares de fronteras vivas y se asentaron en territorios recién incorporados. Muchos de estos grupos ocuparon de manera temporal fortalezas o centros administrativos, como los de Huánuco, Tumebamba, Quito, etc. No podemos dejar de mencionar los fines religiosos. Es algo tan importante. Los incas consideraron necesario repoblar territorios cercanos a centros ceremoniales o a huacas que gozaron del aprecio y respeto de sus poblaciones. Una de ellas fue el santuario de Copacabana, en la actual Bolivia, donde llegaron colonos de cuarenta y dos naciones diferentes. Otro santuario importante fue el de Putina. Era un nevado o apu localizado en la actual ciudad de Arequipa. Hasta el lugar llegaron cientos de familias procedentes de diferentes pueblos con la convicción de rendir culto al dios local.

Otra modalidad de control social impuesta fue la del sistema de los yanas. A la llegada de los hispanos estos grupos eran conocidos como yananconas. A igual que los mitmas esta institución existió antes de la formación del Tahuantinsuyu. Los incas con inteligencia y cuidado supieron sacar provecho. Eran servidores permanentes. A través de la política de ocupación de nuevas tierras, la burocracia estatal extraía a grupos rebeldes de sus tierras y los convertían en sirvientes de las autoridades importantes. Rebelarse era de osados. Se perdían tantas cosas. Estos grupos eran desprendidos de sus tierras perdiendo toda posibilidad de recuperar sus tradiciones y costumbres locales. Una forma de resquebrajamiento de la estructura familiar. Ni qué decir que esta política de castigos arrastraba a grupos de familias y a sus descendientes.

Estas poblaciones pasaron a servir a diferentes autoridades y grupos, al Inca y a su panaca, a los orejones y nobleza provinciana, a los curacas locales, sacerdotes y militares victoriosos... Esta situación de jerarquía estableció un estatus dentro de las familias de los sirvientes domésticos. Convertirse en yanacona de la familia del Inca ofrecía mayores beneficios que ser servidor de un sacerdote o guerrero.

Sus funciones eran variadas. Un alto número de yanas servían a las tierras de las panacas. Otros grupos eran trasladados a los lugares fronterizos y actuaron como guerreros en periodos de guerra y ocupación. Otros eran trasladados a centros ceremoniales y se dedicaron a funciones de ceramistas, olleros, metalurgos, etc. Era común que toda provincia tuviera un alto número de servidores diseminados.

La historia cuenta que en una de las campañas realizadas por Túpac Inca Yupanqui debió enfrentarse a los bravos tanquiguas que no aceptaba la presencia del Inca en sus tierras. Después de tantas muertes y luchas las fuerzas cusqueñas terminaron victoriosas. Era tanta la cólera que acumuló el Inca que ordenó la muerte de toda la población. La Coya tuvo entonces otra idea. ¿Por qué no los conviertes en tus sirvientes?, dijo. Otra vez, la inteligencia y prudencia de una mujer se hizo escuchar. Así, estos grupos pasaron a condición de servidores. Eran los llamados yanayacos o sirvientes del Inca y los que gozaron de los mejores beneficios entre estos grupos. Algunos fieles sirvientes se convirtieron en curacas principales de pueblos recién sometidos. Eso ocurrió en un pueblo rebelde de Lima. Por eso podemos asegurar que el sistema de mitmas no convertía esclavos. La mayoría disfrutaron del préstamo de tierras, estuvieron exentos del servicio de la mita y muchas veces eran retribuidos con productos y servicios según su trabajo. Aunque no se puede negar que estos grupos casi no tenían vida propia.

6

Cultura, ritos y cosmovisión

Así como los chinos, el pueblo inca sintió muy profundamente la seducción del pasado y el anhelo de retener el tiempo fugaz. De esta forma explicaba Raúl Porras Barranechea, uno de los historiadores más importantes del Perú, la relación entre el hombre andino y su mundo. Tenían una visión compleja que confundía el pasado con el presente, el mundo de los muertos y dioses con el de los vivos.

La población mantenía una relación estrecha con sus principales elementos de culto. Un tributo a sus pacariscas, a sus antepasados, a sus dioses y a sus huacas.

De esta manera el mito se convertía en el instrumento que reforzaba y trasmitía durante generaciones estas tradiciones. Toda etnia o ayllu tenía su propia historia: el de su pacarisca. Esa era una forma de explicar el origen de su pueblo.

En algún momento dado, las fuerzas de la naturaleza (montaña, laguna, mar) habían cobrado vida y habían encargado a sus primeros hombres dirigirse a otras tierras y fundar un nuevo pueblo. Así, con el devenir del tiempo, como agradecimiento, las huacas no eran abandonadas. Estuvieron representadas en ídolos de oro que acompañaba a los curacas o sinchis de la etnia. La historia de los Hermanos Ayar, que se contó al principio, sirve como ejemplo de las narraciones andinas. En este caso, sobre la fundación del Cusco. Aunque cabe mencionar que existen otros mitos que cuentan historias más complejas como la vida misma.Ese es el caso del mito de Cuniraya Viracocha.

Según la historia popular en la región de Huarochirí se cuenta que hace mucho tiempo, Cuniraya Viracocha, dios del campo, se convirtió en hombre. Pero lo hizo con la apariencia de un hombre muy pobre, sucio, lleno de sarna, que andaba siempre con ropa de mendigo.

Sin embargo, como era dios del campo, podía con solo pronunciar una palabra preparar tierras de cultivo, reparar andenes... O le bastaba arrojar una flor de cañaveral (llamada pupuna) para crear acequias desde sus fuentes. Todo esto siempre le generó la envidia de los demás dioses de la región por mucho tiempo.

Por aquel entonces vivía también una mujer muy hermosa llamada Cahuillaca, que también era huaca.

Dada su belleza los demás dioses la pretendían pero ella siempre los rechazaba, incluso a Cuniraya Viracocha..

Un día, mientrås ella estaba tejiendo bajo la sombra de un lúcumo, él se transformó en un pájaro y voló hasta la copa del árbol. Allí cogió una lúcuma madura e introdujo su semen en el interior. Instantes después, dejó caer el fruto al lado de la bella Cahuillaca, quien al ver tan apetitoso manjar no dudó en comerlo.

Así fue como quedó embarazada sin siquiera haber mantenido relaciones sexuales con ningún hombre o dios alguno.

Pasados los nueve meses dio a luz y durante más de un año crió sola a su hijo. Como es evidente, la duda sobre quién podría ser el padre siempre rondaba por su mente.

Decidida a averiguarlo convocó a todos los dioses a una reunión en el pueblo Anchicocha.

Al enterarse de su deseo de verlos, los huacas se alegraron muchísimo y acudieron con sus mejores ropajes, convencidos de que la hermosa mujer elegiría a uno de ellos como pareja.

Al llegar, uno a uno se fueron sentando. Cuando estuvieron todos, ella les fue mostrando de cerca al niño y les preguntó si alguno reconocía ser su padre. Ninguno lo hizo. Y aunque Cuniraya Viracocha había asistido, ella no le hizo a él la pregunta pues pensó que era sumamente imposible que su precioso hijo tuviese por padre a un hombre que iba con ropa de mendigo y que repelía por su pobreza y suciedad.

Pasado el rato y al no haber resuelto su duda, Cahuillaca supuso que alguno le estaba engañando. Por eso, resolvió colocar al niño en el piso para que gatease y pudiese encontrar a su padre.

El niño, de inmediato, acudió hacia Cuniraya Viracocha quien lo acogió contento.

Al ver lo sucedido, Cahuillaca entró en cólera. ¡Ay de mí!, gritó furiosa. ¡Cómo he podido engendrar un hijo de semejante hombre?, se lamentó y corrió para coger a su hijo y salir huyendo en dirección al mar.

Fue en ese momento que Cuniraya decidió revelar su verdadera identidad, pensando: "Ahora sí me va a amar!".

De inmediato su lamentable ropaje se transformó en un fino traje de oro y siguió a Cahuillaca llamándola para que lo viera.

Pero ella huía cada vez más rápido sin mirarlo. No quería hacerlo porque la atormentaba la apariencia espantosa de aquel hombre que había visto con ropa de mendigo, lleno de suciedad y con el cuerpo cubierto de sarna.

Al llegar al mar, frente a Pachacamac, totalmente fuera de sí, se arrojó a las aguas. De inmediato, ella y su hijo quedaron convertidos en dos islotes que están muy cerca de esa playa.

Según cuenta el mito, se dice que hasta la actualidad, Cuniraya Viracocha sigue engañando a las huacas.

Esta es una de las historias que describe a uno de los dioses más importantes de los Andes prehispánicos: el venerado Apu Ticci Viracocha. Los cronistas españoles intentaron encontrar en él ciertas semejanzas con su dios cristiano, lo cual, evidentemente, era imposible. La ideología de los Andes no representaba a dioses creadores.

Viracocha era el dios transformador. Un dios que no tenía sexo. Era masculino y femenino a la vez. Una evolucionada representación del conocido dios de las varas. Eso sí, estaba relacionado con la vida política y económica de los incas. Lo demuestra la leyenda que narra la guerra entre chancas y cusqueños. Se cuenta que, en sueños, el joven Cusi Yupanqui recibió la visita del dios que le ordenó dirigir la resis-

El Coricancha fue el santuario más importante dedicado al dios sol en la época de los incas. Este templo fue llamado el “sitio de oro” porque todos sus muros habían sido recubiertos con láminas de oro por los incas. Teniendo esta estructura como base, aquí se construyó el convento de Santo Domingo, de estilo renacentista.

tencia de la ciudad. Después de la magnífica victoria, Viracocha llenó de grandes éxitos y augurios al ahora llamado inca Pachacútec. Este dios no estaba solo. Las crónicas se refieren a una triada de dioses estatales. Uno de ellos era Viracocha, otro el sol (Inti) y el dios de los truenos y relámpagos (Illapa). Aunque algunos consideren que el trío respondió a un interés de compararlos con la triada católica, no se puede negar que eran los más representativos del Estado. Y es que la política de los incas buscó siempre promover el culto de dioses estatales como una forma de dominación.

El sol, como es evidente, era el dios favorito. El templo dedicado a él, el Coricancha, era considerado el más hermoso e imponente de la ciudad estatal. Muchas edificaciones se levantaron en todo el Estado en honor a su Inti. Y es que su presencia era sentida y valorada por el poblador andino.

Era un culto muy impresionante y a la vez sumamente complejo. Se le presentaba en tres momentos de su existencia: como el Apu Inti (el sol Señor), el Churi Inti (hermano solar) y el Huaoque Inti (hermano). No podemos olvidar su representación como un ídolo. Se le llamaba Punchao. La estatuilla era tratada como si tuviera vida. En el Coricancha existían sirvientes encargados de sacarlo a la plaza principal durante el horario de día y cuando el cielo oscurecía volvía a ser guardado. Según el investigador Terence D´ Altroy, este ídolo no fue visto por los invasores españoles. En el momento de su fuga, Manco Inca logró apoderarse de la estatuilla e inició su largo viaje hacia la región de Vilcabamba.

Illapa, el dios del trueno, relámpago y demás fuerzas meteorológicas era imaginado como un hombre que suspendido en el cielo llevaba un garrote y una honda. La fuerza de esos instrumentos provocó las lluvias, relámpagos, truenos y toda la fuerza que permite la naturaleza. Estaba representado por el ídolo conocido como Chucuylla que era celosamente guardado en el templo de Pukamarca. Si bien estos dioses tuvieron una representación en todo el Estado, existieron otros que alcanzaron una presencia más local como Pachacamac. Él era el dios de los terremotos que disfrutaba de su enorme santuario en la costa central, muy cerca del mar y cuyas instalaciones, después, los atrevidos incas adecuaron para fines administrativos.

El mito cuenta que Pachacamac dio forma a una pareja de humanos, pero que no les daba alimentos. Al poco tiempo el hombre murió de hambre. Al ver esto, la mujer, desesperada, acudió al sol, padre de Pachacamac, para que le proveyese de alimentos. En respuesta, el sol le prometió a la mujer los solicitados alimentos, pero a la vez la fecundó procreando un hijo con ella para que fuese su guardián.

Al enterarse Pachacamac de la intervención de su padre, furioso y muy celoso por la intromisión se acercó a la mujer, le arrebató al pequeño y lo descuartizó.

Desolada, la mujer enterró los pedazos de su hijo. De pronto, ocurrió una cosa increible. De los dientes del pequeño brotó el maíz; de sus huesos, las yucas y demás raíces. Además, el sol tomó el vientre del niño y le devolvió a su forma completa y le dio vida.

Pasado el tiempo, el pequeño creció y se convirtió en el joven Vichama.

Un día, él le pidió permiso a su madre para viajar y conocer el mundo.

Fue así como emprendió un larguísimo viaje dejándola sola. Pachacamac aprovechó la ocasión para matar a la mujer y después se detuvo a crear a nuevas personas en el lugar.

Cuando Vichama regresó de su viaje, se enteró de la muerte de su madre. Totalmente triste y al no poder soportar el remordimiento por haberla dejado sola, logró resucitarla.

Aún más. Totalmente furioso, convirtió en piedra a las personas creadas por Pachacmac y se propuso perseguirlo para darle muerte.

Finalmente logró acorralarlo justo cerca a su santuario, frente al mar. Pachacamac, al no ver otra salida, saltó a las aguas y quedó allí para siempre.

Hay que aclarar que Pachacamac no era un dios malo. En la cosmovisión de los Andes no existía un término o sujeto que hubiese podido ser traducido como malo o como el diablo. Pachacamac simplemente era un dios complementario. Teniendo esto en cuenta, se entienden las dificultades que encontraron los españoles para transmitir la idea cristiana del diablo o el infierno a un indígena. Las representaciones simbólicas, sin duda, debieron ayudar, pero es evidente que dadas las enraizadas visiones diferentes del mundo religioso, esta tarea fue muy complicada.

Es por ello que los dioses locales supervivieron en el tiempo. Hasta hoy sus santuarios y templos despiertan el recuerdo de hermosas historias que explican, a su manera, la aparición de los primeros humanos, la existencia de plantas y alimentos, la fundación de las primeras ciudades o las reprimendas a sus gentes.

EL RUNA SIMI,
EL HABLA DEL HOMBRE

Existe una necesidad de expresar lo que sentimos de todas las formas. De hacer sentir nuestras emociones, alegrías, tristezas, esperanzas. El arte es la expresión viva del hombre ¿existe una cultura ajena a ello? Y es que el arte es vida. La música, danza, la pintura, escultura, la poesía, la literatura. La sociedad andina no tuvo escritura. Algunos investigadores han querido forzar la historia y demostrar que hubo otro tipo de comunicación grabada, algo así como los quipus o tocapus. No nos engañemos. En los Andes la comunicación se manifestaba de otra manera. Cada etnia tenía su propio idioma local. A la llegada de los incas, en pleno siglo XV, se les permitió a los hatun runa en general que mantuviesen la tradición dialéctica. Así, sabemos que el Tahuantinsuyu fue multilinguístico. ¡Cuántos dialectos se perdieron en el tiempo! Los lingüistas describen a algunos idiomas locales como el Puquina, que era la lengua hablada en la región del altiplano peruano boliviano. Posiblemente era el idioma que hablaban los primeros habitantes Ayar a su llegada al valle de Acamama. Otro dialecto era el Aru y fue empleado en los sectores de Yauyos, Huarochirí, Canta y Cajatambo (sierra de Lima). En la costa existían otros grupos idiomáticos. El Tallán fue la lengua de los habitantes de la actual ciudad de Piura y el Muchic, el habla de los habitantes de la ahora región de Lambayeque.

El runa simi se convirtió en el idioma estatal porque Pachacútec lo había institucionalizado como una forma de dominación del aparato incaico sobre otras nuevas provincias. Por eso era considerado un idioma de elite. La nobleza provinciana y los curacas empleaban el idioma para establecer contactos de reciprocidad entre ellos y los burócratas cusqueños; hasta con el propio Inca. Dentro de sus etnias, con la confianza que ofrecían sus gentes continuaban comunicándose en su lengua local. Entonces, ¿por qué se piensa que el Quechua, como comúnmente se le llama al runa simi, era el idioma más hablado de la cultura de los incas? Esta respuesta la tienen los españoles. Los religiosos hispanos del siglo XVI, promovieron que la comunicación entre los indios (así eran llamados los naturales) fuese en runa simi, para lograr un mejor entendimiento con un mayor número de población.

El aporte del runa simi fue valioso. Lo demuestran los pocos testimonios orales que vencieron al tiempo y la indiferencia del hombre. Así, la poesía era una representación común en los rituales y ceremonias religiosas, agrícolas o guerreras. Siempre estuvo acompañada de música que le daba un tono más místico y conmovedor. La presencia del Taki (canto) y de los tambores acompañaba y daba valor a lo recitadores conocidos como Hayllicunis. Existieron diferentes tipos o estilos de poesía. El Haravi era la manifestación lírica más importante, caracterizado por un tono a veces triste y a veces alegre. El Haylli era el canto o poema de victoria, el Hararu, el poema dedicado al amor, el Huacaylli, ofrecido a las fuerzas de la naturaleza, como la lluvia.

En el caso del teatro existieron dos estilos de obras. La primera buscaba resaltar el papel de las autoridades políticas y militares y otro describía las acciones cotidianas de los pobladores comunes. Aunque no estamos seguros de su procedencia, pero sí de su influencia incaica, el drama *Ollantay* en cinco actos es la manifestación más bella de amor y honor narrado y actuado en esta parte del continente.

Es una verdadera historia de amor entre el general Ollantay con la joven Cusi Coillur, la hija preferida de Pachacútec.

La trama se desarrolla cuando el joven enamorado le pide a Pachacútec la mano de Coyllur. El Inca que no aceptaba que su hija se enamorase de un plebeyo enfurecido ordenó su destierro y encerró a la joven en un aclla huasi. La vida de Ollantay transcurrió entre actos guerreros y políticos. Siempre acompañado de su fiel general Urku Waranca y de su amigo Piki Chaki. A la muerte del Inca, el nuevo gobernante, Túpac Inca Yupanqui, recibió un pedido de su sobrina Yma Sumac. Sí, la pareja había tenido una hija. El Inca emocionado buscó a su hermana y ordenó traer al general victorioso. La historia termina con la unión de los amados.

Muchos aseguran que este drama anónimo es incaico. Otros sospechan que tiene influencias hispanas, pero lo que no podemos negar es la representación teatral de una historia que mezcla el amor de una pareja en un contexto donde el poder y la autoridad se confrontan (Pachacútec y el sumo sacerdote), la religiosidad envuelve a la nobleza incaica (Coyllur convertida en Virgen del Sol), el honor se respeta (Ollantay) y la armonía se idealiza (Túpac Inca). Personajes que dieron vida a una expresión del sentir de un pueblo: el andino.

LLACTAS, CONSTRUCCIONES Y ESTILOS

El Perú es historia viva. Lo dice cada visitante que se maravilla de un territorio que convive con un pasado milenario y un presente prometedor. Más aún, es heredero de una de las culturas más admiradas y es imposible olvidarlo porque sus calles, plazas y ciudadelas guardan las huellas de este pasado. Los incas plasmaron su propia visión a través de construcciones complejas y majestuosas donde se respiraba un aire de religiosidad, reciprocidad y combate. Una forma también de dominación. Muchas joyas arquitectónicas incaicas fueron diseñadas sobre construcciones de sociedades previas. Los ingenieros andinos supieron respetar en sus obras la geografía y las necesidades de la población. Sus maquetas definían el modelo y tipo de construcción. Además de los materiales. En la región costeña se empleaba el adobe, barro y quincha. En la región de la sierra predominaba la piedra. Si tenemos que describir la belleza de una expresión inca, no tenemos mucho que pensarlo.

Cusco se convirtió en el modelo a seguir. La ciudad localizada en el valle de Urubamba sobre los cuatro mil metros de altura se desarrolló en sus comienzos entre las aguas de los ríos

Típicas ventanas
trapezoidales incas.
Estas pertenecen al
Templo Coricancha.

Otra muestra de ventana trapezoidal. Esta pertenece a uno de los muros que se levantan en el centro arquitectónico de Pisac.

Huatanay y Tullumayo. A partir del gobierno de Pachacútec fue remodelada según un nuevo patrón urbanístico: el de dominación. Las crónicas describieron que el plano de la ciudad estuvo delineado en la forma de un puma, un tipo de león andino. La cabeza del felino se encontraría en la fortaleza de Sacsayhuaman, sus patas traseras y delanteras en la plaza de Aucaypata y el templo de Coricancha delineaba la parte baja de la cola, o simbolizaba a los órganos sexuales del felino. Cierto o falso ocurre que cuando se visita la bautizada capital arqueológica de América, uno transita por calles llamadas Pumachupa y Pumaurco que traducidas a nuestro idioma podrían significar "cola de puma" y "lomo de puma". Surge una interrogante oportuna ¿cómo una ciudad de más de quinientos años se mantiene en el tiempo? La respuesta es muy simple: gracias a una verdadera política urbanística.

Responsables hasta en la selección de los materiales, los ingenieros andinos aprovecharon la piedra como uno de sus recursos favoritos en el trabajo. De todo tipo, como la andesita, la diorita, el granito, el basalto y otras. La técnica de sillería era empleada en la construcción de edificios aislados y enormes muros. Los mitayos llegaron a unir diferentes piedras solo juntando una con otra. El mejor ejemplo lo demuestra la famosa piedra de los doce ángulos (ver páginas 246-247) en la residencia de Hatum Rumiyuq. El estilo inca se manifestó además en la forma de las ventanas y las puertas principales de sus residencias. Era común reconocer las puertas en forma trapezoidal o las ventanas de formas variadas. El gran proyecto urbanístico incluía fuentes de agua, canales, plazas rectangulares, calles estrechas e irregulares, templos y grandes residencias.

La plaza principal era llamada Aucaypata. En ella se realizaban las ceremonias y rituales importantes de la ciudad. Las últimas excavaciones arqueológicas encontraron canales subterráneos lo que demuestra la habilidad de los ingenieros y mitayos cusqueños y provincianos en el aprovechamiento de sus aguas. Desde la plaza se podía observar los dos grandes sectores en que se dividió la ciudad. En el nor oeste se localizaba el Hanan Cusco y hacia el sur este el Hurin Cusco. Esta distribución condicionó la ubicación de los ayllus o familias de la nobleza de la ciudad y de los pueblos vecinos. Y es que los últimos gobernantes incas solicitaron a los jefes étnicos que residieran con sus familias en los barrios y manzanas de la ciudad. Esto era una forma de dominación y de expresión de rango social.

Un ambiente religioso envolvía a la ciudad. Las construcciones dedicadas a los dioses principales exigieron además del aporte de miles de trabajadores la utilización de diferentes materiales de construcción y de osamentería. Entre los principales templos se encontraba el dedicado al dios Viracocha llamado Kiswarkancha, localizado en el lado nor este de la plaza principal y el templo de Pukamarca donde se ofrecía culto al dios del trueno. Aunque, entre todos, el templo del Coricancha era el más famoso. Este edificio de forma rectangular incluía a varias salas cuyas paredes estuvieron revestidas de láminas de oro era impresionante. Era como sentirse muy cerca al sol. En el recinto principal se encontraban los ídolos de los dioses e incas principales. No solo era una construcción de carácter religioso, era también un complejo residencial. A la llegada de los españoles, el Coricancha sufrió enormes cambios en su estructura. Sobre sus cimientos se erigió el convento de Santo Domingo.

Otra impresionante obra de ingeniería andina es la fortaleza de Sacsayhuaman. Los cronistas sospechan que su construcción se inició durante el gobierno de Túpac Inca Yupanqui y que demandó un esfuerzo de más de cincuenta años. La parte externa del complejo presentaba enormes muros de piedra de nueve metros de

Vista desde el exterior de la fortaleza de Sacsayhuaman. Este lugar se encuentra a veinte minutos de la ciudad del Cusco. Aquí se suelen hacer las representaciones del Inti Raymi.

Imagen del interior de la fortaleza de Sacsayhuaman.

alto en forma de zigzag que actuaban como celosos guardianes. ¿Cómo llegaron a la zona semejantes estructuras rocosas? El traslado a través de grandes sogas significó un enorme sacrificio.Sobre los muros se ubicaron tres torreones donde se podía divisar a la distancia la ciudad del Cusco. En la parte interior se encontraba una enorme plaza y edificios construidos para las labores de almacén, santuarios religiosos, viviendas temporales, etc. además del recinto principal conocido como Tiapanku. El hallazgo de armas, ceramios, vestimentas, metales preciosos y restos de comida hace suponer que además de ser un recinto militar, Sacsayhuaman cumplió funciones alternas.

El modelo urbano cusqueño era repetido en la construcción de nuevas ciudades. El arqueólogo norteamericano Jhon Morris nos habla de un patrón de urbanismo dirigido desde el Estado. La construcción acelerada de estos "nuevos Cuscos" definió la presencia del Estado en las nuevas provincias y regiones. Ciudades como Huanuco Pampa, Quito, Tumebampa, Hatunqolla, Inca Huasi, Charcas, repitieron las mínimas características de la ciudad capital. Entre todas ellas destacaba Huánuco Pampa. Situada en la región central del Perú esta ciudadela cumplió con el patrón urbanístico en una extensión aproximada de casi dos kilómetros cuadrados. En el centro de la ciudadela se encontraba la plaza de estilo inca (modelo rectangular) por donde discurrían las calles estrechas hacia los diferentes barrios de la zona. El cálculo de algunos arqueólogos como Hyslop habla de cuatro mil edificios distribuidos en los diferentes sectores. Sin embargo, una de las características de estas construcciones incas fue que tuvieron residentes temporales. En el aclla huasi, seguramente se encontraron las únicas personas que mantuvieron una permanencia por largo tiempo.

Machu Picchu, la ahora "Nueva maravilla del Mundo Moderno", la manifestación arqueológica más importante dejada por los incas está presente, majestuosa y dominante. Estuvo escondida por muchísimo tiempo hasta que, a comienzos del siglo XX, un científico norteamericano la presentó al mundo. Aunque el mérito no fue solo de él. Los lugareños del valle bajo de Urubamba conocían y hablaban de la ciudadela. La llamaban Picchu. Esta hermosa obra de arquitectura fue construida durante el gobierno del inca Pachacútec como un lugar de descanso y refugio. Es por ello que estuvo internada en la parte baja de la amazonía cusqueña. Llamamos a esa región ceja de selva.

Machu Picchu era una ciudadela. Lo observa el incrédulo visitante cuando por primera vez la conoce. Construcciones en piedra que

Imagen de Machu Picchu. Una visita obligada al llegar aquí es para ver la famosa piedra del Intihuatana.

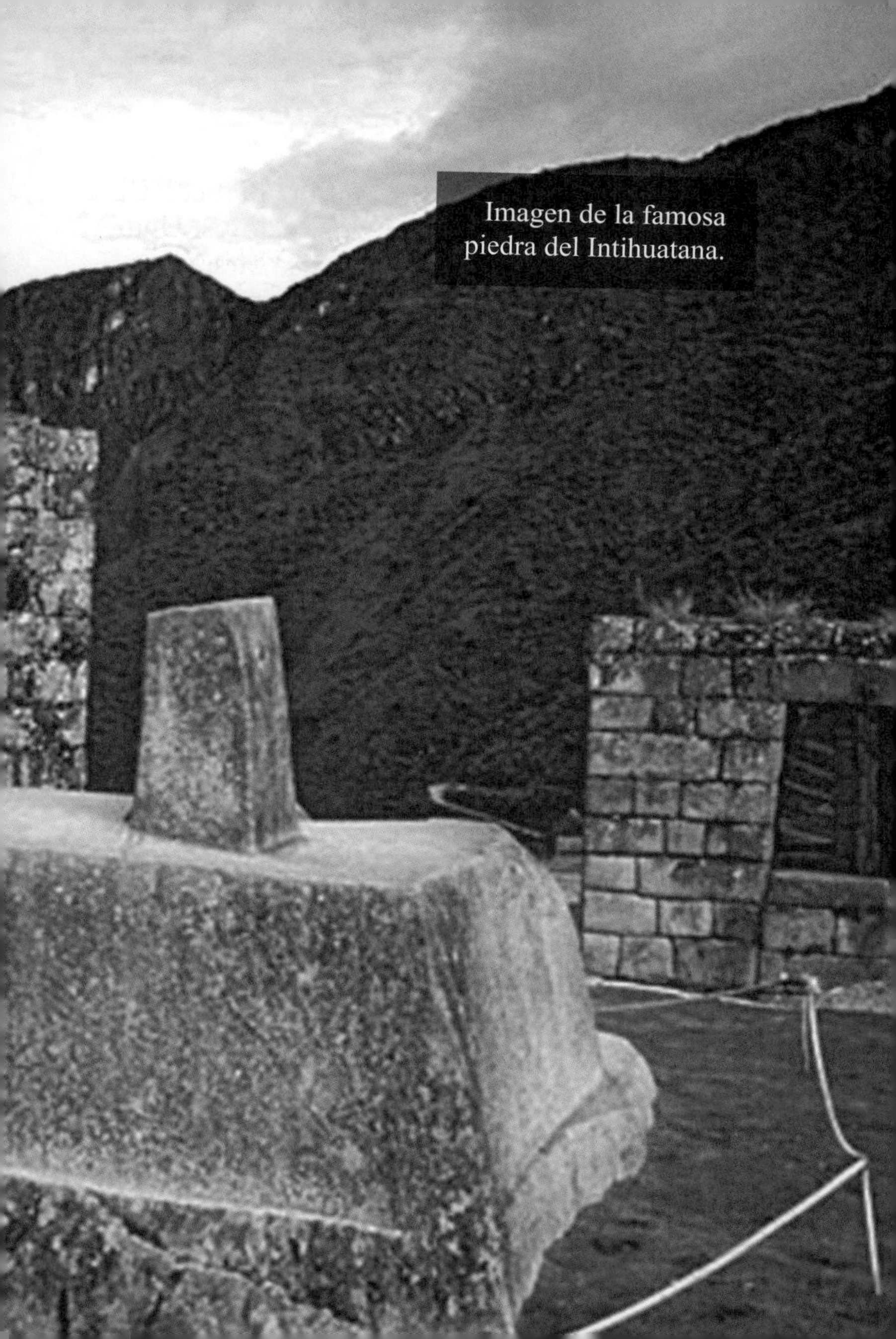

Imagen de la famosa piedra del Intihuatana.

suponemos de un tipo de granito blanco. El santuario estuvo dividido en dos sectores. Una, las terrazas agrícolas o andenes; y la otra, el poblado. En este sector se encontró la mayor cantidad de construcciones, como la plaza principal, los templos, el aclla huasi, fuentes de agua, calles, etc. No podemos olvidar las residencias del Inca y de los sacerdotes principales.

La terraza que corresponde a la plaza principal está ubicada entre la colina del Intihuatana, en el oeste. El conjunto de la roca sagrada con su jardín de piedras en el norte, y las casas del norte y el palacio de las tres portadas, en el este. El Intihuatana localizado en la parte más alta del complejo residencial es una piedra sumamente tallada de más de un metro de altura. Muchos sospechan que tenía una relación directa con el dios sol. Pudo ser una especie de reloj solar o que indicaba la posición del sol en los periodos de solsticio. No podemos negar que tuvo un poder sagrado. Otra construcción que llama la atención es el llamado templo solar, una especie de torreón circular, cuyas ventanas estuvieron perfectamente ubicadas para coincidir con la salida del astro dios. Y es que la relación entre los dioses y sus actividades de siembra y cosecha eran determinantes. El templo no se encontraba solo, muy cerca se hallaban el Templo principal y la llamada Casa del Sacerdote.

Hacia el este de la plaza se encuentra el Recinto de las Tres Ventanas. Son tan fáciles de identificar porque sus estructuras en forma trapezoidal eran idénticas. No podemos olvidar al llamado Palacio Real o Inca huasi. Se le denomina así porque se supone que residieron en este edificio personas de especial importancia dentro de la jerarquía de los habitantes de Machu Picchu y porque este lugar se encontraba aislado de otros complejos residenciales. Estaba solo. Estuvo dividido en tres secciones, de los cuales, el primera pudo ser la residencia del propio gobernante y los otros de funcionarios y servidores de la nobleza. Las escalinatas hechas en piedra dan una impresión de estar en una construcción diferente y única. Sin olvidar los patios que se encontraron en la parte exterior de la residencia. Un tipo de corrales que sirvió como área de descanso para los eternos amigos de los Andes, los camélidos. No sabemos qué cantidad de población residió en la ciudadela, pero muchos de ellos debieron sobrevivir a la invasión española. Aunque muchas de las cosas que mencionamos son posibilidades, el complejo residencial de Machu Picchu, es considerado en la actualidad, el punto de visita obligatorio de todo amante de la Historia y de la aventura.

Puerta del Inca
en Ollantaytambo.

Imagen del poco visitado centro arquitectónico de Qenqo. Se encuentra ubicado a las afueras de la ciudad del Cusco.

Fotografía que presenta los magníficos restos arquitectónicos de Choquequirao.

La famosa piedra de los doce ángulos es casi tan visitada y fotografiada como Machu Picchu. Una muestra perfecta del manejo de la piedra para elaborar sus construcciones. En este muro, ni siquiera un cabello puede intriducirse entre las uniones de las piedras.

7

Apocalipsis: crisis y caída de los incas

La muerte de Huayna Cápac tomó por sorpresa a sus panacas. Es cierto, el difunto gobernante organizó e institucionalizó a dos familias con los mismos derechos y obligaciones. Una en Quito (Ecuador) y la otra en el Cusco. No era el momento de reclamos. El Tahuantinsuyu repetía una difícil situación política. Una vez más no había sucesor. Pero eso no era un problema muy grave. Ya se había superado antes. Una de las primeras acciones tomadas fue la organización de los funerales del gobernante. Aunque la panaca norteña consideró oportuno que no se supiese de la muerte del Inca hasta después de su llegada al Cusco. El cuerpo del anciano fue embalsamado y maquillado para que simulase estar con vida. Era conveniente. Por entonces, como ya se ha visto, los curacas de los pueblos sojuzgados deseaban su libertad política y económica. Para ellos ese instante era el más oportuno. Teniendo en cuenta el clima que se vivía, y la distancia entre Quito y Cusco, a la comitiva le quedaba entonces un muy largo camino por recorrer. Así el viaje se realizó en la más absoluta reserva. Entretanto, en el Cusco, los orejones ya habían tomado una decisión: Huáscar debía ser el sucesor.

Este joven heredero nacido en el sector de Mohina había reemplazado a su padre durante su permanencia en el norte. Es por ello que contó con parte del aprecio y respeto de la nobleza cusqueña, pero no de todo el Estado. Cuando llegó la comitiva norteña a las entradas de la ciudad capital, el nuevo Inca decidió constatar la lealtad de la gente. Huáscar había sufrido un intento de complot que casi le costó la vida y tenía un fuerte temor de su entorno cercano. Por eso, lo primero que llamó su atención de la comitiva fue la ausencia de su hermano Atahuallpa que se había quedado en el norte andino. No lo tomó con agrado y tanto fue su descontento que exigió a los allegados de este que le contaran los motivos que detu-

Antigua representación
de Huáscar.

Grabado de Atahuallpa.

vieron a Atahuallpa en Quito. ¿Por qué no regresaba? No sabemos si las razones se relacionaron con asuntos políticos, pero la desesperación e ira de Huáscar lo llevó a ordenar l muerte de parte de la comitiva. Fue un grave error. Parte de la panaca que residía en Quito era del sector hanan cusqueño. El temor y las dudas se apoderaron del nuevo gobernante. A pesar de estos problemas se respetó la tradición y Huayna Cápac recibió los funerales de acuerdo a su condición de máxima autoridad. Mientras el pueblo se lamentaba de la pérdida física de su gobernante había dos hermanos que analizaban su próxima participación en el poder.

El ambiente se tornó difícil. Las comitivas enviadas por el hermano norteño eran recibidas con pésimo agrado. Muchos de sus comisionados murieron por órdenes del nuevo Inca. Se esperaba un detonante. Y llegó. Un curaca del norte alertó a Huáscar que su hermano había ordenado edificar en Quito templos y residencias al estilo arquitectónico cusqueño. Además, que se presentaba ante sus visitas con las vestimentas del padre. Esto fue tomado por Huáscar como un desacato a la autoridad y decidió organizar su ejército con dirección hacia el norte. Se formó un ejército de más de seis mil guerreros que esperaban en su larga caminata la incorporación de por lo menos tres mil

Imagen del siglo XIX que representa gráficamente el tipo de embarcaciones que habría utilizado Francisco Pizarro durante sus expediciones por las costas de América del Sur.

soldados más gracias al sistema de la mita. En el norte, Atahuallpa tuvo que soportar el cautiverio por parte de las fuerzas del curacazgo de los cañaris, aliados de los cusqueños. La leyenda popular dice que Atahuallpa se convirtió en serpiente y pudo escapar de la cárcel. Más allá del mito, el líder norteño, una vez libre, debió organizar su ejército de ataque. Para su suerte contó con el apoyo de varias etnias como los cayambes, carangues y pastos. Muchos de los curacazgos tomaron partido entre uno y otro bando. El resto seguía esperando el momento oportuno para lograr su ansiada libertad.

Existen muchas versiones sobre los lugares de las batallas y posibles vencedores. Algunos historiadores señalan que se libraron una decena de contiendas. No hay seguridad de ello. Lo que sí se sabe es que las fuerzas cusqueñas dirigidas por el hermano del Inca conocido como Atoc llegaron a Tumebamba y decidieron reconocer el lugar antes de dar inicio a la contienda. En el sector de Riobamba se libró la primera batalla dinástica. Las fuerzas de Atahuallpa demostraron capacidad e inteligencia en la lucha. Es comprensible porque este ejército estaba integrado por grandes guerreros con más de quince años de experiencia. La victoria quedó a favor de los norteños. Como trofeo de guerra Atahuallpa recibió la cabeza del valeroso general cusqueño que fue decorado y utilizado, según el cronista Sarmiento de Gamboa, como vaso ceremonial. Una batalla perdida no hace una guerra. Así lo entendieron las fuerzas de Huáscar que decidieron esperar las órdenes del nuevo general conocido como Huanca Auqui. Como describe el antropólogo Terence D´altroy la siguiente batalla se libró cerca al puente en dirección a Tumebamba. De nuevo, el conocimiento del lugar y la habilidad de sus soldados dieron la victoria a las fuerzas de Atahuallpa. No había forma de que los cusqueños pudieran remediar la situación. Es por ello que las fuerzas de Huanca Auqui decidieron retirarse a Cajamarca para tomar un respiro y esperar la llegada de mayor cantidad de soldados. Sus grandes aliados, los cañaris sufrieron grandes pérdidas.

Atahuallpa muy seguro de sus generales y fuerzas guerreras ordenó el avance de su ejército hacia el sur. Hacia el Cusco. Es así que se inició una larga caminata por los caminos del Cápac Ñam. Además era una forma de continuar con las conocidas políticas de reciprocidad con los curacas vecinos. Algo que había descuidado Huáscar. El muy soberbio mantuvo durante la permanencia en el poder un trato muy distante con los curacas aliados y con las panacas cusqueñas. Se llegó al extremo de

Mientras los hermanos incas pugnaban por el poder, una balsa venida de Tumbes fue el primer contacto de Francsico Pizarro y sus hombres con la civilización inca.

ALSA DE GUAYA
dibujada con sus propor
A. Proa.
B. Popa.
C. La Ramada ò Casa.
D. Cabria que sirve de Palo.
E. Bolinero.
F. Guara.
G. Remo que sirve de Guar
H. La Cocina.
I. Botijas de Aguada.

decir que el líder cusqueño deseaba usurpar las tierras de las panacas de los incas anteriores. El descontento de su propia gente lo perjudicó. Después de un periodo de tregua continuaron las contiendas, ahora más al sur. Las batallas en los territorios de Huancabamba, Chachapoyas, Huamachuco favorecieron a las fuerzas de los generales quiteños Calcuchímac y Quisquis. Cada vez la situación era más difícil para los cusqueños. De nada valió la llegada de nuevos grupos de soldados de pueblos aliados. Huáscar decidió asumir el liderazgo de sus ejércitos, pero ya era muy tarde. Una de las últimas contiendas se libró cerca de las aguas del río Mantaro, en el territorio de los Xauxas. Era el final de las fuerzas de los guerreros cusqueños. Huáscar fue capturado en la región de Huánuco pampa. Se venía lo peor. Los generales victoriosos no respetaron las investiduras del Inca rendido que tuvo que soportar la humillación e ironías de sus opresores. Huáscar y las tropas norteñas se dirigieron al Cusco. Nunca más el Inca sería cargado en andas.

Caminó durante todo el largo viaje. Al llegar al Cusco los generales Quisquis y Calcuchímac ordenaron la captura de la panaca del Inca. Lo que pasó después fue aterrador. Casi la totalidad de la familia fue asesinada. Hombres, mujeres y niños murieron delante del acongojado Huáscar que tuvo que presenciar semejante masacre. Se aprovechó la histeria que se vivía en la ciudad capital y se destruyó el mallqui de Túpac Inca Yupanqui Fue una estrategia política la de desaparecer a los antepasados directos del Inca vencido. Algunos documentos dicen que algunos hijos pudieron salvarse. La verdad es que la Huáscar Ayllu panaca había desaparecido. El Inca, solo y mancillado fue capturado en 1532.

La victoria ya casi estaba a manos de Atahuallpa. Casi... Tenía la posibilidad de convertirse en la única autoridad del Estado. Sin embargo, era notoria la disconformidad de varios curacazgos alentados por las desavenencias entre los hermanos. Además el usurpador escuchaba continuamente los avisos de la llegada de unos hombres blancos en su territorio. ¿Quiénes eran? No lo tenía claro. Hasta llegó a pensar que podría ser el mismo Viracocha y su séquito que venía a rescatarlo ¿o a reprochar su actitud contra Huáscar? A inicios del año de 1532 los españoles se habían asentado en la región de los tallanes y fundaron la primera ciudad española llamada San Miguel de Piura. Ahí recibieron las noticias de que Atahuallpa se encontraba descansando por una temporada en Cajamarca. Decidieron ir a su encuentro. Es así que dejaron el hermoso y ca-

FRANCISCO PISARRO

luroso valle costeño y se introdujeron hacia los andes septentrionales. El recorrido debió ser lento y peligroso. Los constantes cambios climáticos y la altitud les jugaban una mala pasada. Para su suerte estuvieron acompañados de indígenas del lugar, así como de un casi traductor bautizado como Felipillo. Cajamarca, a más de 2.500 metros de altitud estaba cerca.

Después de meses de marcha, llegaron el 15 de noviembre de 1532 y no tuvieron tiempo de disfrutar de las maravillas del lugar. De manera inmediato Francisco Pizarro organizó una comitiva al mando de Hernando de Soto que se dirigió hacia Pultumarca donde se encontraba descansando Atahuallpa. El encuentro se dio ese mismo día. Los españoles temerosos se presentaron ante una autoridad que con su sola presencia demostraba toda la personalidad de un vencedor. Las palabras de Hernando de Soto traducidas por el limitado intérprete Martinillo no convencieron al líder inca. Aunque no se concretó una nueva conversación entre ellos, Atahuallpa invitó a los hispanos para encontrarse al día siguiente en la plaza principal de la ciudad. Así quedaron. La noche debió ser muy larga para ambos líderes. Por un lado Atahuallpa se imaginaba qué estrategia sería la mejor para capturar a

Imagen del artista del siglo XIX Aquiles Deveria, que grafica el recibimiento dado a Alonso de Molina por las naturales de Tumbes.

los recién llegados extranjeros y, por otro lado, Francisco Pizarro y su gente no se teníanˊclara la forma de cómo capturar y vencer a un hombre que sería protegido por miles de guerreros. ¿Cuántos guerreros serán?, se preguntaba un soldado. No creo que miles, exclamaba otro. ¿Usarán armas? Claro, ¿pero cuáles? No lo sé. Entre conversación y conversación, pasaron las horas.

Llegó el día y hora pactados. Atahuallpa acompañado por el curaca de Chincha se presentó en la plaza de la ciudad. La comitiva que lo acompañaba era impresionante. Además de miembros de la nobleza se encontraban cientos de yanaconas y acllas. Por un momento Atahuallpa pensó que no llegaban los visitantes. Los muros y edificaciones de la zona le impedían ver más allá. Cuando estaba presto a retirarse llegó la humilde comitiva hispana. Salió a su encuentro el dominico Valverde. Se presentó ante el líder andino y mientras entregaba a Atahuallpa el evangelio lo invitaba a aceptar la religión católica y los dominios de la Corona española. El ambiente se volvió tenso entre ambos personajes. No le quedó más a Valverde que salir corriendo y ante el grito de "¡Santiago!" las huestes hispanas aparecieron. Estaban escondidas entre los muros. Se inició así un combate que tomó desprevenido a Atahuall-

Encuentro de Hernando de Soto con las huestes de Atahuallpa en Cajamarca.

Imagen de Atahuallpa con la mascaypacha.

pa y sus generales. Las fuerzas de Calcuchímac nunca llegaron. Desde las montañas fueron espectadoras de una lucha increible. Los arcabuces y las espadas estaban venciendo a las porras y macanas. La histeria se inició. Los andinos corrían por distintos lados. Muchos morían aplastados por el apuro y desesperación. Los hispanos empezaron a atacar a los cargadores del gobernante. Cuando caía un yanacona aparecía otro y ocupaba su sitio. En esa difícil situación el gobernante andino fue capturado. Francisco Pizarro evitó que lo asesinaran como ocurrió con el curaca de Chincha. Los supervivientes del ejército andino no pudieron hacer mucho y solo les quedó esperar.

Atahuallpa entendió su condición de prisionero. No era la primera vez que pasaba por una situación así. Además percibió el interés que despertaba en sus captores los objetos de oro y plata. Sin mucha diplomacia ofreció a Francisco Pizarro dos cuartos llenos de objetos de plata y un cuarto lleno de oro "¡hasta donde llegué mi brazo estirado!", dijo el soberbio jefe. Los españoles vieron con agrado tremenda oferta y decidieron aceptarla. Pasaron los meses y llegaban de distintas partes comitivas de yanaconas con ofrendas para el rescate. Los hispanos quedaron maravillados con la belleza de los brazaletes, collares, pec-

Imagen de la batalla de Cajamarca. Aquí se puede apreciar cómo Francisco Pizarro hace caer a Atahuallpa de su litera.

Grabado que representa el ofrecimiento de Atahuallpa para lograr la libertad.

torales, cuchillos ceremoniales, etc. Mientras esto ocurría Atahuallpa volvió a sentirse importante. Empezó a recibir comitivas de curacas y generales que llegaban a consultarle o a iniciar ciertas alianzas. Siguió recibiendo el mismo trato de sus sirvientes que se preocupaban de cambiarle de vestuario cuantas veces era necesario. Nadie podía osar a tocar algo del gobernante. Nadie.

Lo que logró con esto Atahuallpa fue ganar tiempo. Hay que señalar, eso sí, que el famoso rescate jamás llegó a completarse. Pasaron meses y no se llenaron las habitaciones por lo que juntada una cantidad, Pizarro dio por concluido el proceso.

Por otro lado, también ordenó dos expediciones hacia el Sur. Llegaron a los territorios de Pachacamac y del Cusco. Durante el recorrido los españoles tuvieron contacto con poblaciones que mostraron su disconformidad con el gobernante capturado. Muchos curacas iniciaron conversaciones con los hispanos y aceptaron nuevas alianzas a cambio de su libertad ante los cusqueños. Esta situación generó una continua discusión entre los españoles en Cajamarca. ¿Mantenemos vivo a Atahuallpa? Francisco Pizarro siempre se mantuvo opuesto a cualquier intento de asesinarlo. Era el máximo representante de ese Estado.

Palacio donde estuvo preso
Atahualpa según
Charles Wiener en 1880.

Cuadro que representa
el cautiverio de Atahuallpa.

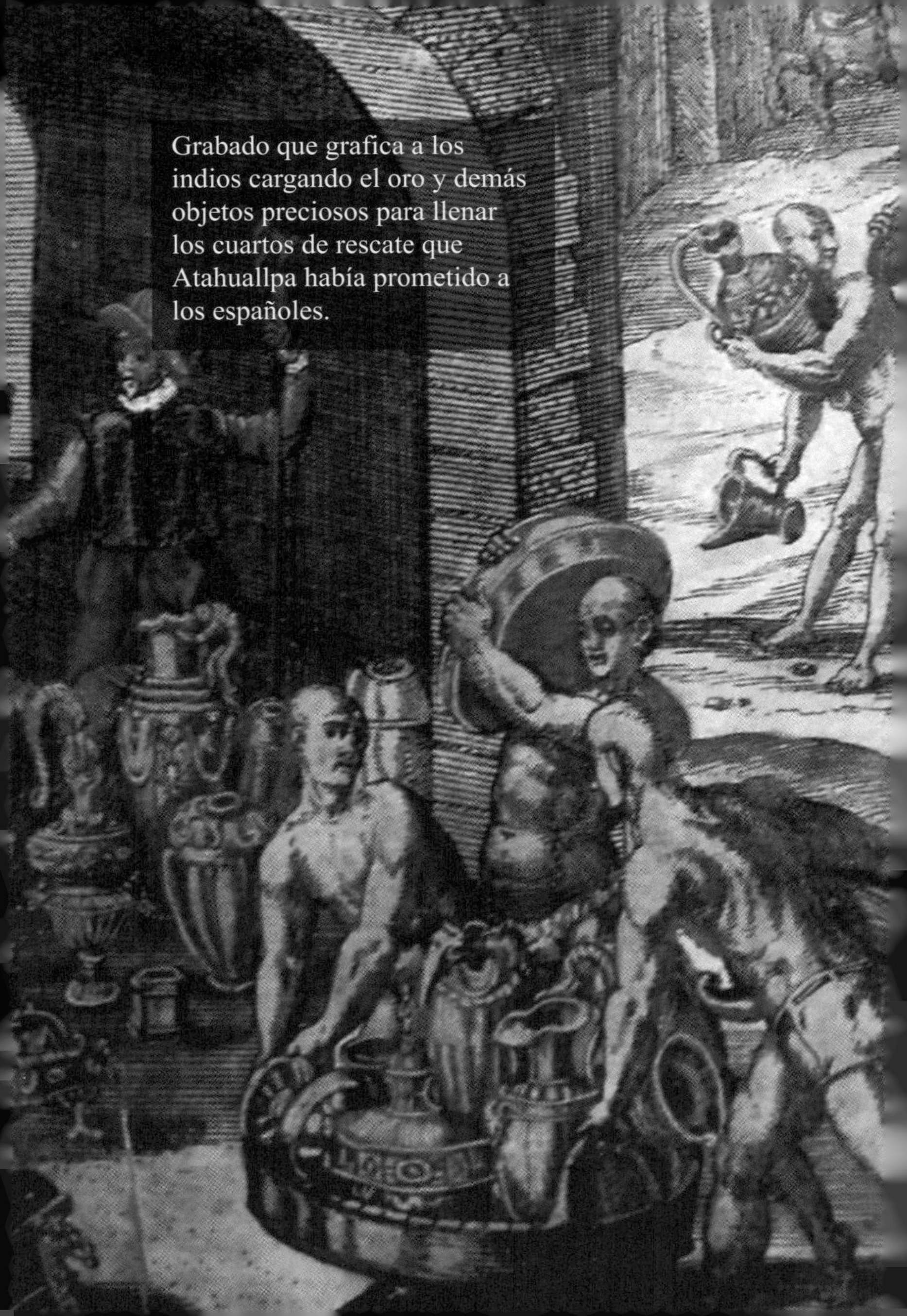

Grabado que grafica a los indios cargando el oro y demás objetos preciosos para llenar los cuartos de rescate que Atahuallpa había prometido a los españoles.

Era necesario mantenerlo vivo. Sin embargo no pudo mantener por mucho tiempo su postura ante la presión de sus otros socios que lo querían muerto. El resto de su gente decidió acabar con la vida del gobernante andino. Hubo muchos factores: la creencia de que había un ejército enorme que se aproximaba para liberar al preso y asesinar a los conquistadores, y también la necesidad de repartir los tesoros conseguidos. Los socios españoles que recién habían logrado llegar al lado de Pizarro no tenían derecho a lo conseguido hasta entonces por la victoria sobre Atahuallpa. O sea, no tenían derecho a los cuartos de oro y plata y nada de lo que se consiguiese mientras Atahuallpa siguiese vivo y ofreciendo rescate o alianzas. Ellos necesitaban su muerte para a partir de allí conseguir los tesoros con su mano y fuerza. Por esto y otros pequeños factores, la postura de Pizarro se tornó insostenible y la suerte de Atahuallpa quedó sellada. Se le acusó de varios delitos, como de acceder a prácticas de idolatría, de haber mandado a asesinar a su hermano Huáscar, de ser un usurpador en el cargo, de prácticas de incesto con sus hermanas, de tener varias esposas a la vez. Atahuallpa no entendía nada. Le increpó varias veces a Pizarro por su libertad. Finalmente los sacerdotes le recomendaron que no

Retrato de Francisco Pizarro.
Líder y artífice de
la expedición y conquista
del Tahuantinsuyu.

Retrato de Fray Vicente Valverde

Grabado de Diego de Almagro

Hernando de Luque se convertiría en diversas ocasiones, en el mejor componedor de las diferencias entre Pizarro y Almagro.

permitiese ser quemado vivo. Su cuerpo así no llegaría a la otra vida. Tenía que ser bautizado. Eligió llamarse Francisco. En la tarde del 29 de Julio de 1533, Atahuallpa murió por el garrote. Muchos hombres y mujeres que se enteraron de la muerte de su gobernante decidieron acompañarlo a la otra vida. Los españoles guardaron su cuerpo inerte en una parroquia de cristianos en la misma ciudad. Parece que los seguidores del gobernante cusqueño robaron el cuerpo y le ofrecieron los funerales según la costumbre andina. Finalmente fue enterrado en Quito. Por otro lado entraron en dudas ¿hicimos bien en matarlo? ¿Estará de acuerdo el rey? ¿Cómo reaccionará el pueblo? Muchas dudan rondaron en las mentes de Francisco Pizarro y compañía. Se habían apresurado y lo sabían. Era necesario, imprescindible, encontrar un reemplazo inmediato de Atahuallpa.

A comienzos de agosto había ya un sucesor. Era Túpac Huallpa. Los pobladores de Cajamarca participaron de la ceremonia de ascenso y puesta de la mascaypacha, símbolo de autoridad inca. Así, los hispanos creyeron encontrar un gobernante para los andinos y a la vez un títere para sus intereses, pero la alegría duró muy poco. Cuando regresaban al Cusco, el joven Túpac Huallpa empezó a sentirse mal.

No había como ayudarlo. Llegando a la ciudad de Xauxa el joven murió. Era octubre de 1533. Había sido envenenado por Calcuchímac. Sí, el general fiel de Atahuallpa. Los españoles no sabían qué hacer. Lo único que podía confortarles era el recibimiento y buen trato de algunos curacas de pueblos visitados que se convertían en sus aliados. Muy cerca del Cusco, en la región de Jaquijahuana fueron recibidos por el joven Manco Inca, hijo de Huayna Cápac que reclamó el cargo de Inca por derecho legítimo. A cambio, ofreció a Pizarro apoyar en el enfrentamiento contra las fuerzas de los generales quiteños Quisquis y Calcuchímac. Los hispanos no podían negarse. Los fieles generales de Atahuallpa se estaban convirtiendo en un dolor de cabeza. Así, los españoles accedieron a tal requerimiento y ofrecieron dar a Manco Inca el trato que merecía. Llegados a la ciudad capital las cosas fueron cambiando. El nuevo Inca se sintió engañado. Cada día entendía que solo era utilizado en beneficio económico. Pasaron los meses y se sentía tan prisionero como lo estuvo su hermano. Se preguntaba si correría la misma suerte, estaba entrando en desesperación. Para enero de 1536 la situación no daba para más. Cada vez, la presencia de las fuerzas de Pizarro era sentida en nuevos lugares. Se habían fundado nuevas ciudades. Se escuchaba que Lima era llamada la nueva capital. No le quedaba otra alternativa. Manco Inca decidió escapar. Aprovechó la codicia de Hernando de Soto a quién le prometió objetos valiosos a cambio de un pequeño permiso y logró su ansiada libertad.

El último Inca buscó su refugio en las afueras de la ciudad del Cusco. Desde ahí, pensó, armaría su ejército y atacaría. Era el último intento por recuperar el poder. La Historia dice que no lo logró. El magnífico Estado inca estaba desapareciendo y el sol hacía mucho rato ya que se había puesto.

Pintura que representa los funerales de Atahuallpa.

Bibliografía

ALCINA FRANCH, José; Palop Martínez, Josefina. *Los incas: el reino del Sol*. Biblioteca hispanoamericana 1. Madrid: Anaya, 1988.

ASCHER, M.; ASCHER R. *Code of the Quipu: A Study of Media, Mathematics, and Culture*. New York: Dover Publications, [1981] 1997.

ARGUEDAS, José María; Duviols, P. *Dioses y Hombres de Huarochiri*. Traducido por J.M. Arguedas con estudio de P. Duviols.

Lima: Instituto de Estudios Peruanos y Museo Nacional de Historia, 1966.

BAUDOIN, Bernard. *Los incas*. Barcelona: De Vecchi, D.L., 2001.

BERNARD, Carmen. *Días aciagos para Pancar Guaman: crónica de un cacique en tiempos del inca Huayna Cápac*. México, D.F.: Fondo de Cultura Económica, 1993.

BETANZOS, Juan de. *Narrative of the Incas*. Trad. Roland Hamilton y Dana Buchanan del manuscrito de Palma de Mallorca. Austin: University of Texas Press, 1996.

BINGHAM, Hiram. *Machu Pichu: la ciudad perdida de los Incas*. Madrid: Rodas, D.L., 1975.

CASAS, Bartolomé de las. *Historia de las Indias*. México, 1951.

CIEZA DE LEÓN, Pedro de. *El señorío de los Incas*. Ed. Manuel Ballesteros Gaibrois. Madrid: Dastin, 2000.

---. *Descubrimiento y Conquista del Perú*. Roma: Editorial Francesca Cantú, 1979.

COBO, Bernabé. *History of the Inca Empire: an account of the Indians' customs and their origin together with a treatise on Inca legends, history, and social institutions*. Trad. Roland Hamilton. Austin: University of Texas Press, 1979.

D'ALTROY, Terence. N. Los incas. Barcelona: Ariel, 2003.

DANIEL, Antoine B. *El oro del Cuzco*. Trad. Manuel Serrat. Barcelona: Planeta, 2002.

DISSELHOFF, H.D. *El imperio de los incas y las primitivas culturas indias de los países andinos*. Barcelona: Aymá, 1978.

ESPINOZA SORIANO, Valdemar. *La Destrucción del Imperio de los Incas*. Segunda edición. Lima: INIDE Instituto Nacional de Investigación y Desarrollo de la Educación, 1977.

---. *Los Huancas aliados de la Conquista*. Anales Científicos de la Universidad del Centro del Perú 1, 1972.

FAVRÉ, Henri. *Los incas*. Barcelona: Oikos-Tau, D.L., 1975.

FERNÁNDEZ DE OVIEDO, Gonzalo. *Historia general y natural de las Indias*. Madrid: Editorial Atlas, BAE, t. 117-121, 1959.

GUAMAN POMA DE AYALA, F. *Nueva Crónica y Buen Gobierno del Perú* [1613]. Ed. John V. Murra y Rolena Adorno, con traducciones de Jorge L. Urioste. 3 vols. Siglo XXI, México D.F., 1980.

HEMMING, John. *La Conquista de los Incas*. Segunda edición en español, primera reimpresión. México: Fondo de Cultura Económica, 2004.

HOWLAND ROWE, John. *Los incas del Cuzco: Siglos XVI, XVII, XVIII*. Cusco: Instituto Nacional de Cultura Región Cusco, 2003.

HYSLOP, John. *Qhapaqñan, El Sistema Vial Inkaico*. Primera edición en castellano. Lima: Instituto Andino de Estudios Arqueológicos, Petróleos del Perú, 1992.

JULIEN, Catherine. *Los Incas*. Madrid: Acento ediciones, 2002.

LAMA SÁNCHEZ, Cristina de. *Vida y costumbres de los incas*. Arganda del Rey (Madrid): EDIMAT, 2007.

LONGHENA, María: ALVA, Walter. *El esplendor de los incas y de otras civilizaciones andinas*. Barcelona: Folio, cop. 1999.

LÓPEZ-BARALT, Mercedes. *Icono y conquista: Guamán Poma de Ayala*. Madrid: Hiperión, D.L. 1988.

LÓPEZ DE GÓMARA, Francisco. *Historia General de las Indias*. Madrid: Espasa Calpe, 1922.

MILLONES FIGUEROA, Luis. Pedro de Cieza de León y su crónica de Indias: La entrada de los incas en la historia universal. Lima: Institut français d'études andines (IFEA) y Pontificia Universidad Católica del Perú, 2001.

MURÚA, Martín de. *Historia general del Perú. De los orígenes al último Inca*. Madrid: Cambio 16, 1992.

---. *Historia del origen y genealogía. real de los Reyes Incas del Perú*. Introducción, notas y arreglo por Constantino Bayle. Madrid: Instituto Santo Toribio de Mogrovejo, Consejo Superior de Investigaciones Científicas, 1946.

MURRA, J. V. "El control vertical de un máximo de pisos ecológicos en la economía de las sociedades andinas". *Formaciones Económicas y Políticas del Mundo Andino*. Lima: Instituto de Estudios Peruanos, 1972: 59-116.

PARSSINEN, Marti. *Tawantinsuyu, el Estado Inca y su organización política*. Lima: IFEA Instituto Francés de Estudios Andinos, Pontificia Universidad Católica del Perú, 2003.

PEASE, Franklin. "Utilización de quipus en los primeros tiempos coloniales". *Quipu y Yupana. Colección de Escritos*, editado por C. Mackey. Lima: CONCYTEC, 1990: 67-72.

QUILTER, J.; URTON, G. *Narrative Threads: Accounting and Recounting in Andean Khipu*. Austin: University of Texas Press, 2002.

RADICATI DI PRIMEGLIO, Carlos. *El sistema contable de los incas: Yupana y Quipu*. Lima: Librería Studium, 1980.

ROSTWOROWSKI DE DIEZ CANSECO, María. *Historia del Tahuantinsuyu*. Segunda edición. Cuarta reimpresión. Lima: IEP Instituto de Estudios Peruanos, 2006.

---. "El avance de los Yauyos hacia la costa en tiempos míticos". *Señoríos Indígenas de Lima y Canta*. Lima: Instituto de Estudios Peruanos, 1978: 31-44.

---. "Los Yauyos coloniales y el nexo con el mito". *Señoríos Indígenas de Lima y Canta*, Lima: Instituto de Estudios Peruanos, 1978: 109-122.

ROWE, J.H. "Absolute Chronology in the Andean Area". *American Anthropologist* 10 (1945): 265-284.

SALOMON, F. "Patrimonial khipus in a modern peruvian village: An introduction to the "quipocamayos" of Tupicocha, Huarochirí". *Narrative Threads: Explorations of Narrativity in Andean Khipus*, editado por J. Quilter y G. Urton. Austin: University of Texas Press, 2002: 293-319.

SOMEDA, Hidefuji. *El Imperio de los Incas, Imagen del Tahuantinsuyu creada por los cronistas*. Lima: Pontificia Universidad Católica del Perú - Fondo Editorial, 1999.

TAYLOR, G. *Ritos y Tradiciones de Huarochirí del Siglo XVII*. Traducido y editado por G. Taylor con ensayo de A. Acosta. Lima: Instituto de Estudios Peruanos/Instituto Francés de Estudios Andinos, 1987.

URTON, G. "Codificación binaria en los khipus incaicos". *Revista Andina* 35 (2002):9-68.

VALCARCEL, Luis Eduardo. *Etnohistoria del Perú antiguo: Historia del Perú (incas)*. Lima: Universidad Nacional Mayor de San Marcos, 1967.

VILCAPOMA, Ignacio. *El retorno de los incas: de Manco Cápac a Pachacútec*. Instituto de investigaciones y desarrollo andino, 2002.

VEGA, Juan José. *Manco Inca*. Lima: Peisa, 1992.

VILLARÍAS ROBLES, Juan José R. *El sistema económico del imperio inca: historia crítica de una controversia*. Madrid: Consejo Superior de Investigaciones Científicas, Centro de Estudios Históricos, Departamento de Historia Antigua, 1998.